Das Buch

Es kommt ja nicht wirklich überraschend, das Alter. Aber doch gibt es den Moment, in dem man erschrocken feststellt: Mensch, ich bin alt. Und jetzt? Kommt noch was? Das kann nicht viel sein, dachte Christine Westermann, als sie das Buch zu schreiben begann. Und war überrascht, welche Wendungen, welche Entwicklungen sich auftaten. Welche Schalter sie noch umlegen konnte.

Jetzt, einige Jahre später, schaut sie mit anderen Augen auf den vor ihr liegenden Weg: Die Reise ins Alter lässt sich nicht aufhalten, aber nun ist die Vorfreude auf das, was kommen kann, größer als die Angst vor dem, was passieren könnte. Warum das so ist, das erzählt sie in ihrem aufrichtigen und sehr persönlichen Buch, das vieles, nur kein Ratgeber sein will – und das so vielen Menschen aus der Seele spricht, dass es monatelang auf den Spitzenplätzen der *Spiegel*-Bestsellerliste stand.

Die Autorin

Christine Westermann, am 2. Dezember 1948 in Erfurt geboren, ist bekannt als Radio- und Fernsehjournalistin. Nach langjährigen Stationen bei der »Drehscheibe« und der »Aktuellen Stunde« ist sie heute vor allem bekannt durch die Sendung »Zimmer frei«, die sie seit 1996 zusammen mit Götz Alsmann moderiert. »Zimmer frei« wurde 2000 mit dem Adolf-Grimme-Preis ausgezeichnet und genießt heute Kultstatus bei den Zuschauern. Christine Westermann ist eine Buchliebhaberin und -kennerin und stellt in mehreren Sendungen (»Bücher« WDR 5, »frau TV« WDR Fernsehen, »Buchtipp« WDR 2) Neuerscheinungen vor. 2010 erhielt sie den Ersten Deutschen Radiopreis in der Kategorie »Bestes Interview« für ihren WDR 2 »Montalk«.

Christine Westermann hat bislang vier Bücher veröffentlicht: die Bestseller »Baby, wann heiratest du mich?«, »Ich glaube, er hat Schluss gemacht« und, gemeinsam mit Jörg Thadeusz, »Aufforderung zum Tanz«. »Da geht noch was« stand monatelang an der Spitze der *Spiegel*-Bestsellerliste.

KiWi
1426

Christine Westermann

DA GEHT NOCH WAS

Mit 65 in die Kurve

Kiepenheuer & Witsch

Verlag Kiepenheuer & Witsch, FSC®-N001512

4. Auflage 2015

Umschlaggestaltung: Barbara Thoben, Köln
Umschlagmotiv: © Bettina Fürst-Fastré
Gesetzt aus der Sabon und der Neuen Helvetica
Satz: Buch-Werkstatt GmbH, Bad Aibling
Druck und Bindung: CPI books GmbH, Leck
ISBN 978-3-462-04761-5

0

Das Wesen einer Einleitung ist, dass sie am Anfang eines Buches steht.

Das Geheimnis dieser Einleitung ist, dass ich sie erst am Ende geschrieben habe. Als das Buch schon einen optimistischen Schluss hatte, der so ganz anders daherkommt als die ersten melancholischen Kapitel.

Zwischen Seite eins und Seite 191 liegen mehr als zwei Jahre. Bewegte Jahre. Das sichtbare Altwerden hat mich bewegt, eine leise innere Unruhe, eine unbestimmte Traurigkeit hat mich stets begleitet.

»In der ersten Hälfte des Lebens lernt man, wie es geht. In der zweiten genießt man es«, sagt man.

Ist das wirklich so? Habe ich tatsächlich schon ausgelernt? Kann ich genießen, ohne noch mehr zu wollen und zu wünschen?

Dass ich mich vor zwei Jahren auf eine sehr emotionale Reise begeben habe, weiß ich erst jetzt, wo ich glücklich am Ziel bin. Ein Etappenziel, die Reise geht weiter. Von einem Teil des Weges möchte ich Ihnen gern erzählen, Sie ein Stück mitnehmen. Es ist ein individueller Weg, mein Buch ein sehr persönliches.

Eines ist es ganz sicher nicht. Ein Ratgeber. Ich hüte mich, schlaue Ratschläge zu geben. Ich habe nämlich selbst keine allgemeingültigen Antworten, wie man das am besten mit dem Leben und dem Altwerden hinkriegt. Ich mache es auf meine Art, mit einer anderen, einer neuen Einstellung, die ich noch üben muss. Dass ich mich dabei immer mal wieder bange fühlen werde, so wie zu Beginn des Buches, weiß ich. Das gehört wohl zum Leben dazu.

1

Wo will ich noch hin mit meinem Leben?
Wo will das Leben noch mit mir hin?
Zwei Fragen und keine Antworten.
Nicht mal eine.

Ich bin 65 und habe zum ersten Mal in meinem Leben das Gefühl, ich sollte ihm eine Richtung geben. Dabei gibt das Alter von ganz allein eine grobe Peilung an. Mit Mitte sechzig ist das Ende in Sicht. Zielgerade. Dabei scheint es egal, ob diese Strecke nur zwei oder noch zwanzig Meter/Jahre lang ist.

Zwanzig Jahre sind lang, wenn man sie mit Leben füllt, oder? In den letzten zwanzig Jahren bin ich nach Amerika gezogen, habe dort gelebt und gelernt, bin beruflich der Länge nach hingeschlagen, wieder aufgestanden, gefeiert worden, zurückgekommen, habe mich verliebt, verheiratet, Bücher geschrieben, Angst gehabt, persönlichen Schrecken erlebt, alte Freunde verloren, neue gefunden. In der Rückschau war das unglaublich viel. Viel Leben.

Warum zögere ich dennoch zu glauben, dass die nächsten zwanzig Jahre genauso voll, bunt und intensiv sein werden? Vielleicht weil es keine zwanzig mehr sein werden. Vielleicht nur zehn. Oder gar nur eines? Nicht mal das?

Lebe jeden Tag so, als ob es der letzte Deines Lebens wäre. Zehn Euro fürs Phrasenschwein.

Hat was von Schlussverkauf, von Hektik, Raffgier, Mitnehmen, was man kriegen kann. Das große Ramschen am Lebensabend, bevor nichts mehr geht. Ich tröste mich damit, dass es sich in meinem Fall möglicherweise erst mal nur um den späten Nachmittag des Lebens handelt. Das Gefühl, dass noch was kommen soll, kommen muss, ist nur vage. Aber es ist da, es plagt mich, schiebt mich, drängt mich in eine Richtung, die ich nicht erkennen kann. Als hätte ich Scheuklappen auf. Werde aber den Eindruck nicht los, dass es gut wäre, mich endlich auf den Weg zu machen. Wohin? Ich habe keinen Plan.

Wenn ein Autor gut ist, dann sagt er nichts. Er flüstert es. Wenn ich mein Flüstern höre, bin ich mir nicht wirklich sicher, ob ich es aufschreiben sollte.

Ich bin mir nicht ganz geheuer. Beim Strandspaziergang nur der Ozean an meiner Seite, mein Blick geht ins Ungefähre, ich bin mit mir selbst unterwegs. Schaue mir beim Gehen zu und frage mich, wie lange das noch gut gehen kann. Wie viel Sorglosigkeit, wie viel Unbeschwertsein erlaubt sind, bevor der Leichtigkeit, dem Luftballonherzen in mir, die Luft ausgeht. Als würde mein Inneres mir zustimmen wollen, schickt es einen Seufzer nach oben. Er ist nicht nur tief, er ist auch laut. Ein leiser Schrei. Ich laufe am Strand entlang und schreie einmal kurz auf.

Ungewollt, es macht jemand in mir, den ich nicht kenne. Es ist mir peinlich, ich bin mir peinlich.

Eine ältere Frau am Strand, die laut seufzt. Zu laut.

Wenn man könnte, würde man, nur ein einziges Mal, wissen wollen, was in Zukunft ist? An einem Januartag in einem Jahr? In fünf, in zehn Jahren? Und wenn man wüsste, dass man dann schon nicht mehr ist, würde man sofort damit anfangen, anders zu leben?

Vor ein paar Monaten ist der Vater eines Freundes gestorben. Bei der Beerdigung las der Pfarrer einen Psalm aus der Bibel, von dem ich gleich wusste, der ist für mich bestimmt. Verwegener, aber sehr sicherer Gedanke. »Bedenket, dass ihr sterben müsst, auf dass ihr klug werdet.« Als hätte da mal eben einer ganz lässig den Sinn des Lebens, den Sinn meines Lebens, auf den Punkt gebracht. Die Furcht, sterben zu müssen, jetzt, wo es mir manchmal scheint, als habe ich halbwegs begriffen, wer ich bin, wie ich bin (von lautstarken Strandseufzern abgesehen), begleitet mich wie ein sanfter Schatten.

Mit dem Sterben ist es wie mit dem Altwerden. Keiner sagt einem, wie es sein könnte. Alle schreiben sie Ratgeber, aber eigentlich sind sie alle ahnungslos. Ich weiß mir keinen Rat, das wäre mal ein kluges Bekenntnis, ein ehrlicher Buchtitel.

Ehrlich gesagt will ich auch von anderen gar nicht wissen, wie es am besten gehen könnte. Mit dem Sterben und dem Altwerden. Mit 65 Jahren geht man mit nicht mehr ganz so federnden Schritten auf die 70 zu. Ob ich da unversehrt ankomme, ob ich da überhaupt ankomme, woher soll ich das wissen?

~

Ich habe Furcht zu sterben. Ziemlich banal, hat vermutlich jeder, falls er sich auf den Gedanken überhaupt einlässt, das Ende zu bedenken. Ich habe Furcht, weil es zu früh sein könnte. Weil ich unbedingt noch bleiben will. Jetzt, wo ich ganz vorsichtig die Erziehung des Lebens zu begreifen beginne. Sie ist nicht autoritär, nicht anti, nicht Summerhill und nicht Waldorf. Sie ist für mich seit mehr als sechzig Jahren eine Mischung aus erstaunlichen Nackenschlägen, die sich abwechseln mit beruhigenden Streicheleinheiten. Der Rhythmus erschließt sich mir nicht, vielleicht ist es tatsächlich eine Abfolge von sieben guten und sieben schlechten Jahren.

—

Wenn es dunkel ist, kann alles schiefgehen. Im Kopf. Mit so einer Reise. Mit dem Leben. Mit der Zukunft. Gestern beim Wein mit Freunden erzählten sie von einer Verwandten, die auf einem Parkplatz vor dem Supermarkt aus dem Auto stieg, den Einkaufszettel in der Hand. Wenige Sekunden später konnte sie nicht mehr sprechen, keinen Satz, kein einziges Wort, nicht mal ein »Hilfe« brachte sie zustande. Der Tumor in ihrem Kopf, von dem sie nichts ahnte, weil sie nichts spürte, hatte das Sprachzentrum erreicht.

Was wäre, wenn? Wenn es mir morgen beim Delfingucken am Strand so ginge wie der Frau auf dem Parkplatz?

—

Angekommen am Ferienort mit dem undeutlichen Gefühl, nie weg gewesen zu sein. Über das Phänomen Zeit haben sich klügere Leute den Kopf zerbrochen. Ich stehe nur erstaunt vor der Tatsache, dass zwölf vergangene Monate woanders ein Nichts sind, wenn sie beim Anblick von Vertrautem so schnell aus dem Gedächtnis zu tilgen sind: die Dünen, der Strand, der Rotwein in der Kneipe an den Gleisen der stillgelegten Eisenbahnstrecke.

Und wenn das mit dem Leben tatsächlich so schnell geht, bin ich in gefühlten sechs Monaten achtzig. Und dann?

Beim Strandlaufen fange ich an, Steine zu sammeln. Nicht irgendwelche, sondern die mit den geometrischen Linien und den klaren Farben, dunkelrotbraungelb. Und schon hat mich die Frage nach dem Wann-woher-wohin am Wickel. Wie alt ist so ein kleiner Kiesel? Wo kommt er her, was würde er preisgeben, könnte man die Botschaft seiner Zeichnung entziffern?

In hundert Jahren wird ihn irgendein anderer Mensch in der Hand halten.

Am Strand hockt ein Kormoran, die Flügel weit ausgebreitet, als habe ihn jemand an ein unsichtbares Kreuz genagelt. Er watschelt Richtung Wasser, als ich näher komme. Ein Vogel, der nicht mehr fliegen kann, von den Wellen wird er hin- und hergeworfen wie eine Gummiente, die in einen Duschstrahl gerät.

Der Kormoran ist noch immer da, steht an Land mit tropfnassem Gefieder, ein jämmerlicher Anblick. Ich frage im Guesthouse nach Hilfe. Verständnisloser Blick.

Mother Nature will do what she has to do. Wie im richtigen Menschenleben auch.

Ich trödele in den Tag, denke, dass ich lange hier

bleiben möchte. Und zähle doch schon die Tage bis zur Abreise. Schönes kann ich schwer ertragen.

Wir essen bei den »Girls«. Zwei lesbische Frauen, die vor ein paar Jahren hinter einer Tankstelle in einem Anbau ein Restaurant eröffnet haben. Ein dunkler Schuppen, in dem die Luft steht. Im besten Fall kriegt man einen Fensterplatz, ein kleiner Guckkasten mit Blick auf Zapfsäulen. Öffnen verboten, sonst riecht man das Benzin. Aber das Essen ist erstklassig, der Laden ist jeden Abend gerammelt voll. Die Küche ist ein Glaskasten mitten im Restaurant. Roxanne, die eine Hälfte der Girls, wirbelt auf ein paar Quadratmetern, drei, vier Frauen gehen ihr zur Hand. Die andere Hälfte der Girls, Cherry, weiß nicht mehr, dass sie mal die andere Hälfte war. Für Vorspeisen und Desserts war sie zuständig, das hat sie längst vergessen. Auch wie man sich bewegt, wie man lacht, sich umarmt.

Zwei Jahre nach der Eröffnung der Girls ist sie ausgefallen, jetzt sitzt sie zu Hause. Wartet, dass es dunkel wird und Roxanne nach Hause kommt. Vielleicht weiß sie auch schon nicht mehr, wie Warten geht. Was Warten ist.

Dass Roxanne ihr Girl war.

Der Kormoran ist immer noch da. Leichte Beute für einen alten Hund, der von seinem Besitzer gerade noch zurückgepfiffen wird. Ich wünsche mir insgeheim, er wäre weniger gehorsam gewesen, hätte seinen Instinkten vertraut und zugebissen.

Einladung bei Gerhard, dem Innkeeper.

Der sich sein Stück Paradies am Indischen Ozean von einer Abfindung kaufte, die er bekam, als er keine Lust mehr auf den ganz normalen Alltag hatte, auf das Leben als Angestellter einer Bank in Johannesburg. Lange Jahre gehörte er zu einer kleinen, aber feinen Truppe, die auf besondere Investments spezialisiert war. Beim Millenium-Jahreswechsel war er noch bei der südafrikanischen Task-Force, die um Mitternacht wie gebannt auf die Computer der großen Banken starrte, jederzeit mit dem Zusammenbruch der Systeme rechnend. Irgendwann danach verließ ihn die Lust. Drei Wochen lang war er jeden Morgen mit dem Warum-tue-ich-das-Gefühl aufgestanden. Und dann war es gut. Mit den vielen Zweifeln. Zu viele, als dass er sie noch länger hätte bändigen mögen. Ausgezweifelt und aufgehört. Nicht zum Jahresende, nicht in drei Wochen, drei Monaten. Nein, heute.

Morgen, hatte er beschlossen, beginnt ein anderer Tag in einem anderen Leben. In seinem neuen Leben ist er mit Freude Innkeeper, steht morgens in der Küche des Guesthouse, denkt sich Menüs fürs Frühstück aus. Haferflocken mit Sahne, Honig und schottischem Whisky, geschmorte Kuduleber mit Zimtapfelscheiben zu den Rühreiern mit Trüffelöl.

Wir sitzen auf der Terrasse, trinken eiskalten Champagner, essen Käsetörtchen. Gerhard und seine Frau Anna feiern, dass sie sich kennen.

Das war knapp mit dem Kennenlernen, eine Sache von Minuten. Es war ein Telefonat, das Anna aufgehalten hat. Wäre nicht dieser Anruf ihrer Schwester gewesen – es ging um irgendetwas Belangloses –, hätte Anna just an diesem Vormittag, in dieser Minute den Vertrag mit der Dating-Agentur gelöst und gelöscht. Zu lange hatte sie schon auf den richtigen Mann gehofft, zu viele Abendessen mit merkwürdigen Menschen hinter sich gebracht. An diesem Vormittag, in jener Minute, als Anna mit ihrer Schwester telefonierte, hatte Gerhard Annas Profil bei der Partnerschaftsvermittlung entdeckt und ihr eine E-Mail geschickt.

Einer wie Gerhard auf Partnersuche im Internet. Fast undenkbar. Aber eben nur fast. Zwei Jahre nach dem Tod seiner Frau war er das Alleinsein leid, wollte aber nur einen einzigen Versuch wagen. Ohne großen Optimismus eigentlich, eher aus Neugier, aus Interesse, ob dieses technische Medium Computer funktionieren kann, wenn es um Menschen, nicht um Zahlen geht.

Als Anna den Dating-Vertrag löschen wollte, sah sie Gerhards Eintrag. Ein letztes Mal, beschloss sie. Ein letztes Mal versuche ich es noch. Vor dem geplanten Abendessen lud sie ihn auf ein Glas Wein bei sich zu Hause ein. Das schlug er aus, Restaurantbesuch, sonst nichts. Nach zwei Stunden lieferte er sie an ihrer Haustür ab.

Das war's. Dachte Anna.

Zwei Tage später eine SMS, ob er sie zu Hause, bei sich, am Ozean, zum Essen einladen dürfe. Er durfte. Eine Woche nachdem Anna ihren Dating-Service hatte kündigen wollen, nach einem formellen Dinner, nach einer SMS und einem Abendessen bei Sonnenuntergang, zog Anna bei Gerhard ein. Versetzte damit vier erwachsene Menschen in Panik: die beiden Söhne von

Anna, Sohn und Tochter von Gerhard. Die waren sich, obwohl einander unbekannt, einig: Vater/Mutter ist wahnsinnig geworden.

Sind sie nicht.

Höchstens wahnsinnig glücklich.

Er mit 64, sie mit 61.

Kalter Champagner und Käsetörtchen markieren jetzt jenen Tag, an dem durch einen vorschnellen Tastendruck alles auch ganz anders hätte kommen können.

Wieder ein Abendessen bei Anna und Gerhard. Mit am Tisch Louis, Annas ältester Sohn, und seine beiden Kinder. Seine Frau hat ihn vor ein paar Monaten verlassen.

Ein neuer Mann, die Lust auf neues Glück. Anja und Christie, die beiden Kinder, werden hin- und hergeschoben. Eine Woche beim Vater, eine bei der Mutter. Es wird nicht darüber geredet. Auch nicht darüber, warum so etwas passiert. Warum sich ein neuer Mensch anfühlt, als sei man wieder lebendig. Was denken Kinder, die neun und zwölf Jahre alt sind, wenn Vater und Mutter sich trennen? Ich glaube nicht an die Nullachtfünfzehn-Psychoerklärung, Kinder fühlten sich schuldig.

Sie fühlen sich verantwortlich, ja. Zuständig dafür, die Eltern wieder zusammenzubringen. Schuldig fühlen sie sich höchstens, wenn sie das nicht schaffen. Aber sie wissen nicht, dass sie das gar nicht schaffen können.

Wir reden über alles Mögliche, aber das Ungesagte wabert im Raum. Vielleicht gerade deshalb schleicht sich das Thema Heirat, Glück ins Gespräch. Anja, die

Zwölfjährige von Louis, hat die Augen weit aufgerissen, hört beinahe atemlos zu. Als sie gefragt wird, wann sie glaubt, heiraten zu wollen, sagt sie wie aus der Pistole geschossen: in neun Jahren. Dann ist sie 21. »Nur über meine Leiche«, sagt ihr Vater leise.

Mit 21. Früh finden wir Erwachsenen das. Viel zu früh. Für Anja scheint es bis dahin noch eine halbe Ewigkeit, neun endlose Jahre. Und 21, das ist für sie schon fast alt, zumindest aber sehr erwachsen. Ich habe noch mit 19 gedacht, dass das Leben spätestens mit 40 so gut wie vorbei ist.

Jetzt bin ich 65, und wenn ich an 19 denke, fällt mir nichts mehr ein. Es fühlt sich an, als sei es einem anderen Menschen in einem anderen Leben passiert. Und doch ist dieses Ich-bin-19-Leben irgendwo noch in mir drin, hat im besten Fall eine kleine Prägung, im weniger guten eine mittelmäßige Delle hinterlassen.

Wie wird es sein, falls ich 89 werde? 95?

Wird mir dann mein 65er-Leben vorkommen, als sei es aus der Zeit gefallen?

Jemand hat geschrieben, dass uns das Alter nicht einholt, es kommt uns entgegen. Gefällt mir, diese Form der Annäherung.

Als die beiden Mädchen später auf der Couch einschlafen und wir noch beim Wein bleiben, erzählt Louis, dass er die neunjährige Christie neulich zum Ballettunterricht gebracht hat. Die Tanzlehrerin war neu in der Schule, eine große, sehr attraktive Frau. Als Vater und Tochter den dunklen Gang zur Turnhalle Richtung Unterricht laufen, steht plötzlich die Lehrerin in der Tür. Im Gegenlicht, das auf ihre Locken fällt, wird sie zu einem blonden Engel. Christie fragt ihren Vater, ob er die Frau auch sieht.

Wie kann ich sie nicht sehen, so schön, wie sie ist?
Sie ist Single, Dad, sagt Christie.

An uferlosen Tagen wie diesen wüsste ich gern, was für ein Kind ich war. Wenn ich mit mir allein war. Habe ich mich je gelangweilt? Fühlt sich nicht so an. Ich kann mich jedenfalls nicht erinnern. An Langeweile, an Nicht-Wissen, was man tun soll, tun will.

Ich habe kein Gefühl für Langeweile.

Mir wird die Weile nicht lang. Glaube ich.

Ganz sicher bin ich mir nicht.

Es müsste mal einer in einem Restaurant einen Film drehen. Die Handlung wäre ganz simpel:

Paare beobachten. Urlaubspaare. Sie beschließen den Tag mit einem Abendessen im Restaurant. Es gibt nicht viel zu sagen. So sieht es jedenfalls aus. Ein Zeichen von Leere, Überdruss, von Bei-lebendigem-Leibe-in-der-Ehe-Begraben?

Oder Zeichen von stummem Verstehen, von Gleichtakt, von Nicht-mehr-viele-Worte-machen-Müssen? Von leisem Glück?

Essen in der Öffentlichkeit, eine sehr intime Angelegenheit. Mir ist peinlich, wie ich seziere. Wie meine Fantasie mit mir durchgeht, wie ich beobachte, manchmal starre, mithöre.

Ein stiller Teilhaber am Leben der anderen.

Seit zwanzig Tagen gehe ich am Meer entlang und sammele Steine. Es gibt jede Menge Muscheln, aber ich will Steine. Die tiefroten, mit der ockergelben Maserung. Das Gelb malt Phantastisches auf die Steine. Die Umrisse von Afrika. Einen Horizont mit Palmen. Einen Delfin. Ich bin streng in meiner Auswahl, nicht jeder Stein kommt mit.

Als die vielen Steine kurz vor der Abreise auf dem Terrassentisch liegen, ist mir nicht mehr klar, warum es diese sein mussten. Warum ich sie aufgehoben habe, aufbewahren will. Ich spüre vages Unbehagen, den Impuls, sie dem Meer zurückzugeben. Wenn ich sie später in die Glasvase in meinem Badezimmer lege, sind sie dann noch die, die sie waren?

Liegt es an den Ferien, der Ruhe und der Planlosigkeit, dass mir solche Gedanken kommen? Wie lange würde ich das aushalten, was ich seit drei Wochen tue? Dem Meer zuhören, mich in der Ferne verlieren, Zeit im Überfluss haben, sie verprassen, mit vollen Händen ausgeben. Geht das so leicht, weil ich weiß, dass es ein Ende haben wird? Haben muss.

Muss es?

2

Es klang so leicht. So unbeschwert. In einer Radiosendung hatte der erfolgreiche Autor auf die Frage, was für ihn Glück bedeute, eine Antwort zur Hand, die perfekt schien. Maßgeschneidert für jedermann. Glücksklamotte in Unisex. Ein Mantel aus Worten, zum Wohlfühlen.

Ich habe es nicht geschafft, mir seine grandiose Glücksdefinition zu merken, sie hat sich verflüchtigt wie ein Champagnerrausch, jenes Glücksseligkeitsgefühl, das sich nach dem zweiten, dritten Glas einstellen kann. Wenn man beinahe selbst schon perlt, vor sich hin blubbert, sich an sich selbst berauscht und sich tief drinnen etwas sachte Richtung Superman ausdehnt, das locker jeden Selbstzweifel in die Ecke drängt. Glücksbesoffen eben.

Ich wünsche Dir viel Glück. Als ob Glück etwas zum Festhalten sein könnte. Was man zu Hause abgepackt ins Medizinschränkchen stellen und bei akutem Unglücklichsein herausholen kann. Täglich dreimal zehn Tropfen nach den Mahlzeiten. Dabei ist Glück schnell verderbliche Ware. Geschätzte Haltbarkeitsdauer zwanzig Sekunden.

Glück, das ist ein Amselmoment. Wenn sie auf dem Dachfirst hockt, wie eine gefeierte Sopranistin in die Runde blickt und jubiliert, was das Zeug hält. Und für einen Augenblick, genau die Länge, die man braucht, um einmal zu blinzeln, bin ich beseelt, den Tränen nahe. Nein, ich weiß nicht, warum. Ich will es auch nicht ergründen. Man kann dem Glück nicht nachstellen, mit Worten gleich gar nicht.

Das mag es nicht.

Ist man glücklich, wenn man verliebt ist? Habe ich oft so empfunden. Heute würde ich es vorsichtiger Hochgefühl nennen, denn ich kenne auch die Fallhöhe.

Hochgefühl, bei der Formulierung komme ich mir vor wie ein Mitarbeiter des Katasteramtes, der zufrieden an seinem Ärmelschoner zupft, weil es ihm soeben gelungen ist, etwas vage Schönes mithilfe einiger Buchstaben zu erwürgen.

Glück ist gleich Hochgefühl?

Ich habe dem bekannten Autor mit dem Glücksversprechen eine Mail geschrieben. Ihn gebeten, es mir noch einmal aufzuschreiben.

Wann er es spürt.

Und wie er es dann nennt.

3

Noch ehe er mir das Wechselgeld zurückgibt, steigt er aus, prüft kurz die Bordsteinkante und fängt an. Der Taxifahrer macht fünfzig Liegestütze, hinter uns hupt einer, den Turner stört es nicht. Er hat eine Mission. Er will mir zeigen, wie man sich beweglich hält, auch wenn man den ganzen Tag sitzen muss.

»Ist ganz leicht«, sagt er, »auch für Frauen«. Er heftet den Blick auf meine Oberarme.

Ich spanne automatisch die Muskeln an, was aber keine Wirkung zeigt. Flatterarm bleibt Flatterarm.

Der Platz neben jenem Taxifahrer ist nicht einfach nur ein Beifahrersitz. Er wird zum Beichtstuhl, als der Liegestützenmann mir eröffnet, dass er in einem früheren Leben mal Zuhälter war. Ja, er hat auch Frauen geschlagen, aber nur, wenn es wirklich nicht mehr anders ging.

Ob ich das schlimm fände, will er wissen.

Die Frage ist doch, finde ich es schlimm, dass ich den Eindruck vermittle, als hätte ich die gottgegebene Autorität, während einer fünfzehnminütigen Fahrt mal eben wildfremde Menschen zum Beten von drei Rosenkränzen für vergangene und zukünftige Sündenfälle zu animieren?

Möglicherweise muss bei meinem Taxifahrer auch noch ein Ave Maria dazu, denn er kramt weiter in seiner Vergangenheit und fördert mehrere Wohnungseinbrüche zu Tage.

Früher natürlich.

Früher, als er noch jung war. Was sie damals angestellt haben, war allerdings nichts im Vergleich zu dem, was heute los ist. Alles viel krimineller heute. Wo doch in jede dritte Wohnung eingebrochen werde.

Könnte auch jede achte gewesen sein, das habe ich vergessen, weil das Gespräch kurz darauf einen für mich sehr ungünstigen Verlauf nimmt.

Zunächst bleibe ich höflicher Fahrgast, möchte etwas zur Unterhaltung beitragen und erwähne, dass man auch in meine Wohnung mal eingebrochen habe, ich danach das Mensch-ärgere-Dich-nicht-Spiel, das ins Bücherregal gehört, unter der Matratze wiedergefunden hätte. Nein, gestohlen hätten sie nichts. Keinen teuren Schmuck, keine teuren Uhren.

Wo nichts ist, kann man nichts klauen.

Er wirft mir einen schnellen, scharfen Blick zu. »Tja«, sagt er, »da haben die sich mal geirrt. Die haben gedacht, eine alte Frau, die hat bestimmt Gold zu Hause liegen.«

Bis ich begriffen hatte, was er meinte, hat es ein paar Augenblicke gedauert.

Definitiv keine Amselmomente.

Die alte Frau, das war ich.

Lange danach, und auch jetzt wieder, frage ich mich, warum ich stumm geblieben bin.

Warum ich mich nicht empört habe.

Worüber?

Über die alte Frau? War das unverschämt? Oder nur unhöflich? Oder schlicht wahr? Warum soll man nicht ansprechen, was man zu sehen glaubt? In Gedanken fallen meine möglichen Erwiderungen noch immer sehr kurz aus. Einsilbige Empörung.

Im Ernstfall sind die mentalen oder verbalen Wehrübungen ohnehin sinnlos. Im Ernstfall übernimmt die Sprachlosigkeit. Siehe Turnschuhe.

Ich stehe in Istanbul im Basar, ich will ein Paar Turnschuhe. Zitronengelbe, ich habe sie draußen baumeln sehen. Der Laden ist winzig, vollgestopft mit Schuhkram, Herren, Damen, Kinder. Um zitronengelbe Turnschuhe in meiner Größe zu finden, muss der kleinere Bruder des jungen Verkäufers auf eine Leiter und oben, im Speicherchaos unter dem Ladendach, suchen.

Es dauert. Er flucht Unverständliches.

Der große Bruder unten wirkt gereizt, guckt mich an. Erst meine Füße, die Beine, dann mein Gesicht.

»Sie sind über fünfzig«, sagt er sichtlich genervt.

»In Ihrem Alter tragen Frauen keine Turnschuhe mehr, sie tragen Business-Schuhe.« Voller Verachtung hält er mir ein Paar beigebrauner Schuhe hin, die aussehen, als kämen sie geradewegs aus dem Nachlass eines orthopädischen Schusters.

Ich erstarre, gehe rückwärts aus dem Laden.

Bin stumm, entziehe meinem Zorn die Stimme.

Warum eigentlich?

Weil es sich dort, in dem Laden, nicht nach Zorn anfühlt? Jedenfalls nicht sofort?

Sondern erst jetzt, Monate später.

Und warum erst jetzt?

4

Erst prüft die resolute Frau eingehend den Inhalt meines Einkaufswagens. Dann packt sie mich strahlend wie eine alte Vertraute am Ärmel: »Wir sind uns ja so ähnlich.«

Noch weiß ich nicht, was meine Leberwurst mit dem Honig in ihrem Einkaufswagen gemein hat. Sie ist sich da wohl auch nicht mehr ganz so sicher, Zweifel haben sie beschlichen, sie tritt die Flucht nach vorn an: »Sie sind es doch, oder?« Sie hätte die Frage auch variieren können, zum Beispiel »Sind Sie nicht Christine Westermann?« oder »Haben Sie noch ein Zimmer für mich frei?« oder »Wo haben Sie denn den Herrn Alsmann gelassen?«.

Sind Sie nicht Christine Westermann? Von der Sache her richtig, vom Gefühl her stille Pein.

Das ist Alltag: Wildfremde Menschen kennen mich gut. Glauben, mich gut zu kennen, weil sie mich seit Jahren im Fernsehen erleben. Und in mir etwas sehen, was mir noch gänzlich unbekannt ist. Im Fall der Supermarktfrau ist es unser Vater. Also ihrer und meiner. Die sind sich total ähnlich, findet sie. Mein Vater, sagt sie stolz, war auch so ein Kämpfer wie Ihrer. Dessen ist sie sich sicher, seit sie in einer TV-Dokumentation zum Thema Ahnenforschung ein paar Details aus der Biografie meines Vaters erfahren hat.

Es fällt mir schwer, meinen Zorn zu unterdrücken. Ich will nicht, dass mein Vater für einen Vergleich mit einem Unbekannten herhalten muss. Sie hat keine Ahnung, wer er war, wie er war.

Wie nahe, wie schamlos nahe darf man einem Menschen rücken, nur weil er ein Fernsehgesicht hat?

»Sie sind doch die Frau Westermann, oder?«

Der Mann am Gepäckband in einem auswärtigen Flughafen stößt seine Frau an, ich nicke pflichtschuldig. »Siehste, Mutti«, freut sich der Mann mit leichtem Triumph in der Stimme, »hab ich dir doch gleich gesagt.« Und geht weiter. Wie im Museum, von einem Bild zum anderen. Mal gucken, ob er noch eins mit Namen kennt.

Es gibt da noch die Distanzierten, die es mit einem geraunten »Westermann« oder »WDR« oder »Zimmer frei« versuchen, in der sicheren Erwartung, dass man überrascht den Kopf in ihre Richtung drehen wird. Dann lächeln sie ein stolzes Hallo. Ich gebe ihnen ein schiefes zurück.

Im Theater in der Pause. Ich stiere in die Ferne, bin mit meinen Gedanken bei den grandiosen Schauspielern, beim Stück, bei Dostojewski und seinem Idioten, halte mich abseits. Hilft nichts.

»Fahren Sie in diesem Jahr auch wieder nach Südspanien? Ist schön da, oder? Mein Mann und ich fahren schon seit siebenundzwanzig Jahren hin, wir haben Sie im letzten Urlaub dort an der Strandbar gesehen. Die haben sich ja jetzt vergrößert, wussten Sie das schon?«

Das ist eine brutalstmögliche Rückholaktion, von Dostowjewskis Russland in das sommerliche Andalusien, ohne Zwischenstopp.

Ich gucke entgeistert, erlaube mir, nichts zu sagen.

Fällt mir in diesem Augenblick leicht. Aber später am Abend gräme ich mich. Hätte ich dieser Dame mit einem Urlaubsplausch nicht eine Freude gemacht, gehört das nicht zum Dienst am Kunden?

Was das Kundengespräch angeht, gibt es tatsächlich gute und schlechte Tage.

Gute sind die, an denen ich auf das »SindSienicht« ein fröhliches Kopfnicken zurückschicken kann.

Schlechte jene, an denen ich fürchten muss, dass mein Gesicht nicht mitspielen mag und es seinen Ärger unverhohlen zeigen will. Wenn ich mich nämlich aus Gründen, die sehr persönlich sind und keinen Fremden etwas angehen, vielleicht sehr klein und mies fühle. Dann sind Erkennungsblicke nur schwer auszuhalten. Man ist ihnen schutzlos ausgeliefert. Sie tun fast körperlich weh, weil die äußere Haut so dünn ist. Man sich nackt fühlt. Na ja, fast.

Manchmal zieht man sich auch ohne Not vor vielen Leuten aus.

Ich kaufe Unterwäsche. Nicht im feinen Dessousladen, in einem Allerweltskaufhaus. Ich gucke auch nicht bei Petit, eher bei den handfesten Größen. So eine Größe 44 sieht, um ehrlich zu sein, auf einem Bügel gewaltig aus. Ich suche mir ein halbes Dutzend trotz Größe halbwegs liebreizend anzuschauende Teile aus. Gucke mich nach einer einsamen Kasse um, damit die Slips ohne größeres Aufsehen in die Tüte kommen. Ich habe nicht mit der freundlichen Verkäuferin gerechnet, die mich zu einer Sammelkasse dirigiert. Sensationell gelegen. Direkt im Blickfeld einer Rolltreppe, auf der viele Menschen auf der Fahrt nach oben gucken, was die da unten an der Kasse so alles eingekauft haben. Und während die nette Kassiererin in aller Ruhe und mit der gebotenen Sorgfalt über den breiten Gummibund meiner zukünftigen Unterhosen fährt, um sie einzuscannen, erzählt sie mir, dass sie ein Fan ist. Mein Fan. Schon lange. Seit der »Drehscheibe« kennt sie mich. Das ist vierzig Jahre her.

Ein riesengroßes Kompliment, vergleichbar einer Größe 48, schätze ich mal. Mindestens.

—

»Dünn oder Nobelpreis?«

»Wie bitte?«

»Dünn oder Nobelpreis?«, fragt eine Freundin.

»Ist doch ganz einfach. Möchtest Du lieber dünn sein und Deine Unterwäsche in Petit kaufen? Oder den Nobelpreis und die Ehre?«

Ich fasse es kaum. Fasse mich kaum.

Mein Zögern, das nur kurz ist.

Meine Antwort, die ebenso beschämend wie ehrlich ist.

Dünn oder Nobelpreis?

»Dünn natürlich.«

Die Hälfte meines Lebens habe ich mit Versuchen zugebracht, mich zu mäßigen. Erfolglos.

Also dünn.

Und den Nobelpreis jenem, der die Anti-dick-Pille erfindet.

5

Der erfolgreiche Autor hat geantwortet.

Es freut ihn, dass mir seine Glücksdefinition gefällt. Er mag sie auch.

»Glück ist die Summe aller Augenblicke, die man im Leben genossen hat.«

Ich bin überrascht. Das hatte ich gefälliger im Gedächtnis. Jetzt klingt es ein wenig karg, spröde, sein Glücksgefühl. Die Summe aller Augenblicke, die man im Leben genossen hat.

Bedeutet das auch, dass man erst am Ende weiß, ob man ausreichend genossen hat? Man zählt die schönen Amselmomente zusammen und stellt fest: Glück gehabt?

Er setzt noch etwas hinzu, der Glücksautor.

»Ich kann«, schreibt er, »auch Liebe so knapp definieren: Liebe ist die Summe aller Beteiligungen am Glück eines anderen.«

Die Summe aller Beteiligungen.

Ich studiere das Wortungetüm und unterdessen greift der Mann vom Katasteramt mit der einen Hand zum Ärmelschoner, mit der anderen zum Lineal.

Ist es schon Liebe, wenn man dem anderen beim Glücklichsein zusehen kann?

Wenn man womöglich sogar die Quelle seines Glückes ist?

»Was fehlt Ihnen noch zu Ihrem Glück?«

Wenn es mir gelingen könnte, darauf nicht mit materiellen Wünschen zu antworten (Geld, Haus am Meer, Cabrio und Lottogewinn), hätte ich sie dann verstanden?

Die Sache mit dem Glück?

6

Mitten in diese Phase der nur mühsam kontrollierten Unruhe, des schlecht getarnten Suchens, meldet sich das Fernsehen.

Die Redaktion »Kirche und Leben«.

Perfekt. Wenn das keine frohe Botschaft ist.

Der liebe Gott, der mich seit sechs Jahrzehnten behütet und beschützt, gibt also so eine Art Visitenkarte ab. Gut, unter (s)einem Tarnnamen »Kirche und Leben«. Aber das weiß ich zu deuten. Hinten auf die Karte hat er schreiben lassen: AUSZEIT. Und ein Ausrufungszeichen.

Das Fernsehen bietet mir an, eine Auszeit zu nehmen und zu gucken, was dabei mit mir passiert. Unter Einschluss der Öffentlichkeit. Also mit einem Kamerateam. Was und wo bleibt mir überlassen. Kirche, Mönche, Meditation, Engel, Spirituelles, Atmen, Wellness, alles möglich.

Ich brauche Bedenkzeit. Bin mehr als skeptisch. Unsicher. Will nicht im Fernsehen mein Innerstes nach außen kehren. Habe Angst, dass ich aus dem seit Jahren zur Schau gestellten fröhlichen Gleichgewicht geraten könnte. Die Fernsehfrau, die plötzlich aussieht, als würde sie durchs Leben irren. Als wüsste sie nicht mehr, wo es langgeht. Was ja nicht so ganz falsch ist.

Aber geht das jemanden etwas an? Außer mich?

Ich lasse Zeit verstreichen.

Kein Mut ohne Angst. Die Angst vor der Fernsehkamera, die mich beobachtet. Mut und Neugier siegen.

Ich entscheide mich für ein spirituelles Zentrum in Bayern. Zen-Buddhisten, die Meditationstage machen. Ich weiß weder, was Zen-Buddhisten sind, noch, wie sich Meditation anfühlt. Tagelanges Schweigen gehört zum Programm. Das würde ich gern machen. Schweigen und meinem Inneren zuhören. Eine Aussicht, die den Ausschlag gibt.

Und dann verliere ich an diesem entscheidenden Punkt meines Lebens meinen Lippenstift.

7

Es gab in meinem Leben noch nie einen Roland. Dabei ist an einem Roland nichts auszusetzen.

Rein theoretisch.

Ganz praktisch aber verbindet man mit Namen bestimmte Eigenschaften, oder? Namen rufen Bilder hervor. Ich höre den Namen Bettina und augenblicklich beginnt mein Hirn mit einer Diashow im Zeitraffer. Die Bilder kommen aus den Sechzigerjahren, kurz vor dem Abitur. In meiner Klasse gab es eine Bettina. Schon falsch: Ich war in *ihrer* Klasse, durfte dort sein, wurde gerade noch so eben geduldet. So hat es sich angefühlt.

Bettina war beliebt, sehr hübsch, eine Bestimmerin mit reichen Eltern, den richtigen Klamotten und einem Haufen Freundinnen.

Ich gehörte nicht dazu, auch nach fünfzig Jahren eine unangenehme Erinnerung.

Seither begegne ich Bettina-Frauen eher zurückhaltend, sie sind mir nebelhaft überlegen. Bettinas sind in meinem Kopf blond. Immer.

Ein intelligentes Blond. Und sie haben was, was ich auch gern hätte, aber nicht mal definieren kann. Es gibt noch immer keine Bettina in meinem Freundeskreis.

Es gab eben auch nie einen Roland, jedenfalls keinen, um den ich mir große Gedanken gemacht hätte.

Der einzige Roland in meinem Leben war ein studentischer Nachbar, Bayer, schon mit 21 Jahren verheiratet und in geordneten Verhältnissen lebend. Später hat ihn seine Frau erst betrogen und dann verlassen. Was er danach noch aus seinem Leben gemacht hat, keine Ahnung.

Ich merke gerade, dass selbst dieses unverbindliche Tür-an-Tür-mit-einem-Roland-Wohnen ein bestimmtes Bild in meinem Kopf verankert hat.

Rolands sind ein bisschen langweilig, fast altmodisch, teilen sich Geld, Liebe und Leidenschaft vorsorglich gut ein.

Bloß nicht zu üppig. Besser nichts riskieren.

Den Kopf vor lauter Glück verlieren? Ausgeschlossen.

Ein Name ist eine Botschaft aus der Erinnerung.

Vor mir steht jetzt ein Roland, Mitte vierzig, schätze ich. Grau-braun-grün gekleidet, Farbe bringt er sicher eher zurückhaltend in sein Leben. Scheu wirkt er, schüchtern. Für das, was ich mit ihm vorhabe, eher hinderlich.

Ich habe Roland in der Auszeit getroffen, im Zenbuddhistischen Kloster. Er saß mir während der Meditation gegenüber. Heimliches Hinschielen von meiner Seite, nach den Regeln geht der Blick besser ins Ungefähre, nach unten auf die eigenen Füße und dann noch dreißig Zentimeter weiter nach vorn.

Mehr nicht, alles andere lenkt ab, ist pure Neugier, beschäftigt die Gedanken über Gebühr. Die sollen sich ausruhen. Was mir nicht eine Minute lang gelingt.

Ich will diesen Mann kennenlernen.

Rein beruflich. Will ein Interview mit ihm machen, wissen, was ihn zu diesen Schweigetagen gebracht hat, wer er ist, was er macht. Welche Hürden er in seinem Leben noch nehmen will, welche er schon gerissen hat.

Ich spreche ihn außerhalb der Schweigezone an, in einem Café, das zum Kloster gehört. Es braucht nicht mal viel Überredungskunst, er zögert kaum merklich. Wir setzen uns hin, kurzes Vorgeplänkel, damit er locker bleibt und nicht erstarrt, während die Mikros angesteckt werden.

Die Kamera läuft, das Interview beginnt, ich spreche ihn mit seinem Namen an. Mache ich sonst eher selten, vielleicht will ich gleich mehr Nähe sicherstellen, als notwendig ist.

»Roland«, sage ich, »Sie haben ... Da hebt er die Hand. »Entschuldigung, dass ich gleich unterbrechen muss«, sagt er. »Aber ich heiße nicht Roland, ich heiße Thomas.«

Er heißt Thomas.

Mein fein konstruiertes Rolandbild von diesem Mann fällt unter lautlosem Getöse in sich zusammen.

Wird Millisekunden später durch eine unerwartete Erkenntnis ersetzt. Oder soll ich es Erleuchtung nennen?

Mir wird schlagartig klar, wie sehr ich mich lebenslang in meinen ständigen Vorurteilen verfangen habe. Wie sehr sie mich behindern.

Ich trete den Menschen nie unvoreingenommen entgegen. Sie bekommen, noch bevor sie überhaupt die Chance hatten, etwas zu sagen oder zu tun, eine Schublade.

Roland/Bettina-Schubladen.

Ich treffe Menschen und mache mir ungefragt ein Bild.

Wie oft ist dieses Bild falsch? Fast immer.

Wie oft habe ich mich korrigieren müssen? Sehr oft.

Wie oft habe ich mich dabei still geschämt, über so viel Voreiligkeit? Immer.

Wie viel einfacher wäre alles, würde ich die Menschen in meinem Leben nicht sofort in Schubladen stecken, aus denen ich ihnen wenig später peinlich berührt wieder heraushelfen muss? Und jetzt?

Jetzt hilft nur die Wahrheit. Und zwar die ganze.

Ich schaue diesen Schein-Roland an, der schon sein ganzes Leben ein Thomas war. Wenn man bereits mit beiden Beinen knöcheltief im Fettnapf steht, dann kann man sich auch gleich richtig reinknien.

Ich sage ihm, wer er ist. In welcher meiner Schubladen er steckt. Wie er sein Leben lebt, weil er Roland heißt.

»Junggeselle«, sage ich. »Schon sehr lange allein. Lebt in einer kleinen Wohnung mit großer Bücherwand, trinkt Früchtetee und ist einsam.«

Er nickt.

»Interessant«, sagt er.

»Ich heiße Thomas, leite ein großes Unternehmen, bin verheiratet und habe drei Kinder. Und ja«, sagt er. »Wir haben eine große Bücherwand zu Hause.«

Wenigstens etwas.

8

Ich meditiere. Zum ersten Mal in meinem Leben. Bin der Anfänger, der alles richtig machen will und dem nichts gelingt. Konzentriere Dich aufs Atmen, hat mir die Zen-Meisterin vorgegeben. Konzentriere Dich auf Deinen Atem und nicht auf Deine Gedanken.

Das Gegenteil passiert. Ich halte die Luft an, und mein Verstand fährt Achterbahn.

Ich sitze in einem großen Raum mit achtzig anderen Menschen. Sie sind tatsächlich anders, sie haben die Beine gekreuzt, hocken im Schneidersitz oder auf einem Schemelchen, die Füße haben sie unter die Sitzfläche gepresst.

Beide Variationen hatte ich zuvor erprobt.

Nichts geht. Ich bin nicht imstande, mehr als anderthalb Minuten mit gekreuzten Beinen zu sitzen. Alle Gedanken, vor allem die, die ich loslassen soll, konzentrieren sich auf den Schmerz, der sich in Oberschenkel und Beine schleicht. Ich möchte gern wie die anderen sitzen.

Ich will dazugehören und scheitere. Doppeltes Außenseitergefühl, denn jetzt haben sie mir einen Kasten hingestellt, die Füße berühren locker den Boden, ich bin die Einzige im Raum, die es so kommod hat. Wenigstens mit dem Atem und den Gedanken will ich es richtig machen. Aussichtslos. Meine Gedanken gebärden sich wie ein Dutzend Zweijährige, die mal eben die Kita aufmischen. Sie rasen aufgedreht umher, rempeln sich an, bringen alles durcheinander. Die alte Ordnung löst sich auf, die Erzieherin ist machtlos. Die Erzieherin bin ich. Mit mir und der Gedankenhorde gänzlich überfordert. Ich kapituliere. Überlasse den Gedanken das Feld. Wird schon, denke ich. Es wird tatsächlich.

Meditieren, das bedeutet für einen Neuling wie mich erst mal nur vor sich hin gucken. Schielen wäre ehrlicher. Ich schiele nach links, rechts, nach vorn. Orientiere mich an den Fortgeschrittenen. Die haben die Augen halb geschlossen, sind frei von Gedanken. Hoffe ich für sie. Sie machen das schließlich nicht zum ersten Mal.

Ich hebe den Kopf, um diese anderen achtzig Menschen zu beobachten, spüre kurz leichte Scham, ein Klassenzimmergefühl. Alle wissen, was zu tun ist, schreiben stumm in ihre Hefte, nur ich bin mit meinen Gedanken woanders. Genau wie jetzt.

Die Augen offen halten, etwa dreißig Zentimeter vor sich auf den Boden gucken, lautet die Meditationsanweisung. Ich gucke auf Stabparkett, wie ich später lerne. Während ich noch vor mich hin stiere, die Gedanken in meinem Kopf kreischen und Ringelreihe spielen, passiert etwas unerwartet Angenehmes. Ich sehe plötzlich Bilder. Mein Kopf, mein Herz, meine Fantasie, mein Unterbewusstes, wer oder was auch immer, produziert überraschend schöne Bilder.

Aus dreißig Zentimetern Stabparkett wird ein langer Strand mit einer hoch aufschäumenden Gischt, ich sehe die Wellen, die sachte am Ufer auslaufen. Ich rutsche rein in dieses Bild, halte es fest, es geht ganz leicht, ich sehe diesen Strand nicht nur, ich bin da. Nichts weiter, nur der Strand, das Meer und ich. Die Gedanken halten still. Ist das Meditation? In sich reinrutschen?

Hält nicht lange an. Die Gedanken kommen zurück. Sind übermütig. Wenn Meer und Strand möglich sind, was geht noch? Alles?

Kälte, Schnee, Winter zum Beispiel, wollen sie ausprobieren. Während ich die Brandung noch mit meinem Blick festhalte, verarbeitet der Kopf wohl schon die Information »Schwarzwaldkulisse«.

Die Augen beginnen zu tränen, sie liefern mir leicht unscharf neue Bilder. Ich sehe Winterwald, Tannen, aus der weißen Gischt sind Schneewehen geworden. Die Gedanken formen einen Schlitten, der sich nur einen Sekundenbruchteil später aus dem Nichts in die Bildmitte schiebt.

Ich staune über mich. Oder es? Ich oder es, wir können uns überall hindenken.

Geht auch Mittelalter? Oder Zukunft?

Der Mann neben mir knotet seine Beine auseinander, löst sich aus dem Schneidersitz.

Alle stehen auf und gehen. Einfach so.

Gehen. Einen Fuß vor den anderen setzen. Nicht denken, höchstens die simple Aneinanderreihung von wenigen Wörtern: Mensch, Fuß, Boden.

Meine Gedanken kennen kein Innehalten. Sie bewerten meine braunen, viel zu großen neuen Hüttenschuhe, hastig vor der Abreise im Drogeriemarkt gekauft. Warum denke ich jetzt an Drogeriemarkt, an hässliches Braun, an Aufbruch? Warum kann ich nicht tatsächlich auf dem Boden bleiben? Schritt für Schritt nur spüren.

Ich spüre Ungeduld, Ungeduld mit mir. Mache die Augen zu, um so die Konzentration nur auf meine

Füße zu lenken. Klappt nur kurz, dann trete ich meinem Vordermann in die Hacken. Stilles Gehen geht anders.

Neuer Versuch. Zu gehen und nicht zu denken. Ein Vorsatz, der geschätzte dreißig Sekunden dauert. So lange, bis ich die Namensschilder entdecke. Vor jedem Schneidersitzerplatz, vor jedem Fußbänkchen, liegt ein Zettel mit einem Namen. Nach der Roland/Thomas-Erfahrung bin ich sehr vorsichtig geworden. Auch ein Eberhard kann mitten im Leben stehen und mit einer Sieglinde den ganzen Tag Champagner trinken.

Aber an den Nachnamen scheitere ich schließlich doch. An den Namen mit Bindestrich. Doppelnamen. Über die komme ich nicht hinweg. Ausgeschlossen.

Laufenberg-Wittlich, von Hardenberg-Tolle. Schmitz-Faller.

Wie würde ich mich fühlen, wenn ich Menschen nicht sofort wegen eines Bindestrichs im Nachnamen in meine Sonderbar-Schublade einordnete?

Besser.

Ich will nicht mehr. Ich will in Zukunft ohne Scheuklappen, ohne ein in langen Lebensjahren gefertigtes Raster sehen.

Nur noch das wahrnehmen, was auch da ist.

Wie jetzt.

Menschen, die mit anderen in einem großen Raum sitzen, meditieren, still gehen, ihre Füße spüren. Eine Frau trägt braune, viel zu große Hüttenschuhe. Was sagt das über diese Frau aus?

Nichts, oder?

Das buddhistische Zentrum liegt irgendwo tief drinnen in Bayern. Katholische Kapellen ducken sich wie Heckenschützen in das Tal, das die Anlage umgibt. Wenn sehr frühmorgens um sechs die dröhnenden Schläge des Gongs zum Meditieren rufen, mischt sich immer auch das Glockengeläut der katholischen Konkurrenz darunter.

Beim Aussperren der Gedanken drängt sich noch schnell ein besonders vorwitziger weit nach vorn.

Wie beruhigend, dass ich die Wahl habe.

Ich kann es mir aussuchen, nach welcher Fasson ich selig werden möchte.

Es gibt viel mehr als nur eine.

9

Was soll auf Ihrem Grabstein stehen?
Was ist Ihre größte Schwäche?
Welche Farbe hat Einsamkeit?
Ich bin solche Rauskitzel-Fragen leid.
Wirklich?
Warum bleibe ich dann im Fragebogen der Zeitung bei der Einsamkeit hängen?
Warum durchforste ich insgeheim meine persönliche Farbskala?
Die Farbe von Einsamkeit? Nicht rabenschwarz, nicht einmal dunkel.
Wenn ich einsam bin, ist es hell. Einsamkeit gehört nicht zur Familie der Melancholie. Einsamkeit hat für mich keinen Schrecken.
Ich bin ja nicht allein. Ich bin mit mir zusammen. Einsamkeit ist himmelblau oder sandgelb. Morgen- und Abendrot.

Fünf Tage Schweigen bei den Buddhisten. Schweigen mit einer Fernsehkamera, die mir auf den Fersen bleibt. Christine, guck hier hin, Christine, geh noch mal von links nach rechts, Christine, sag mal ... Es ist wie immer und doch ist es anders. Ich antworte zögernd, bin maulfaul. Will die Stille nicht vertreiben, sie hat sich einen Platz bei mir gesucht. Noch ein bisschen zögerlich breitet sie sich aus, als müsse sie abwägen, ob es sich lohnt zu bleiben.

Wecken um fünf Uhr morgens, der Tag hat noch ein Nachtgewand an, es ist stockfinster, als ich in den Nieselregen hinaustrete. Schnelles Gehen. Schweigend. Kein »Guten Morgen«, nicht mal ein »Hallo«.

Wortlos eilt man aneinander vorbei. Selbst ein Blickkontakt will mir nicht gelingen, als ich mich in die Runde einordne. Achtzig Leute laufen im Kreis, schnell, als hätten sie ein Ziel. Bus, Bahn, Arbeit, Alltag.

Dabei gilt es, genau diese Gedanken auf Abstand zu halten, sich nur zu konzentrieren auf das Jetzt. Frau im Nieselregen läuft im Kreis. Meine Vorurteile sind wieder schneller als ich. Im Nu haben sie mich eingeholt. Ich taxiere meine Mitläufer, ordne sie ein.

Schublade eins: die, die es nicht so ernst zu nehmen scheinen. Bummeln und Schlendern statt schnellem Gehen.

Die Guten, denen ich mich verbunden fühle.

Schublade zwei: die sofort Verdächtigen. Die, die alles richtig machen wollen, die mit weit ausholenden Schritten, mit durchgedrücktem Kreuz an mir vorbeifegen, auf deren Rücken eine imaginäre Neonschrift leuchtet: »So musst Du laufen. Sieht lächerlich aus, aber egal, ich mache alles richtig. Nimm Dir ein Beispiel.«

»Alles Streber« ist die Leuchtschrift, die mein Gehirn dagegensetzt. Aber warum? Warum überlasse ich die Menschen nicht ihrem eigenen, selbst gewählten Rhythmus und kümmere mich um meinen?

Da ist sie wieder, meine größte Schwäche: das Vorurteil. Das Aburteilen in Sekunden.

Die Stille beim Frühstück tut in den Ohren weh, weil sie so laut ist. Ein wildes atonales Konzert aus kreischenden Messern, rückenden Stühlen, klappernden Tellern. Roh geht es zu, derb.

Wenn man noch etwas möchte, macht das Kinn eine fordernde Bewegung Richtung Kaffeekanne, deutet der Zeigefinger ungeduldig wippend auf den Brotkorb. Kein »Bitte«, kein »Danke«.

Die zweite Tasse Kaffee versage ich mir, ich beherrsche die neue Zeichensprache noch nicht. An meinem Tisch sitzt ein Mann, der mir schnell aufgefallen ist, weil er Regeln ignoriert. Wenige Minuten vor Ende der Meditation steht er auf, faltet seine Decke zusammen, geht hinaus. Das ist irritierend, weil die anderen noch in voller Konzentration sind und jede Bewegung, jedes Geräusch sie aus der Ruhe bringt. Nach anderthalb Stunden Meditation kommen alle in den Speisesaal und da steht er schon hinter seinem Stuhl, der Mann, der das Ende nicht abwarten konnte. Noch sind alle Teller leer. Auf seinem aber stapeln sich schon Brot, Butter, Käse zu ansehnlichen Türmchen.

Warum macht er das? Ist es die schiere Gier? Die Angst, zu kurz zu kommen? Traute ich mich, ihn zu fragen, wenn ich nicht schweigen müsste?

Sechs Menschen sitzen an je einem Tisch, teilen sich alles. Heute Morgen sind es Müsli, Milch, Birnenkompott.

Der Früher-Aufsteher greift als Erster zur Schüssel.

Ich liebe Birnenkompott, vielleicht gucke ich deshalb genauer hin. Und traue meinen Augen nicht. Dieser Mann nimmt sich reichlich, macht die Schüssel halb leer. Sein Teller hingegen ist jetzt randvoll mit Birnenschnitzen, die Soße schwappt schon über den Rand.

Ich fasse es nicht. Schon mal was von Teilen gehört? Auf den anderen achten? Drei Birnenschnitze für jeden wären ideal, rechne ich mal eben durch. Jetzt nicht mehr, weil der Birnenmann soeben sieben auf seinen Teller gehäuft hat. Ich bin empört und lege all diese Empörung in einen bösen Blick, den er nicht mal wahrnimmt.

Die Schüssel geht reihum, kommt bei mir an. Ich nehme eine halbe Birne, schließlich kommen noch zwei am Tisch nach mir. Will ich als guter Mensch Eindruck schinden? Ich fürchte ja. Warum?

Ich gucke mir den Raffzahn genauer an. Stelle mir vor, dass er Kriegskind war, vom Alter könnte es passen. Oder Geschwisterkind. Oder beides, wenn er Pech hatte.

Ich bin ein Geschwisterkind. Aber ich habe mich geschlagen gegeben, bevor der Kampf ums gerechte Verteilen überhaupt begonnen hatte.

Wer bekommt von der Gans den Schenkel?

»Nimm Du den, ich ess den Flügel.«

Wie bescheuert ist das denn? Macht der Birnenmann es nicht genau richtig? Er hat sich genommen, was er brauchte. Und siehe da, als die Schüssel wieder bei mir ankommt, liegen da in schöner Eintracht noch vier Birnenschnitze. Und ich bin satt, es hat gut für alle gereicht.

Schweigend essen spart Zeit.

Schon nach zehn Minuten rutscht der Lärmpegel wieder Richtung Stille.

Es ist wie in der Oper vor einer großen Aufführung. Die Mitglieder des Orchesters stimmen ihre Instrumente, alles spielt durcheinander, es klingt falsch und laut und schräg, aber nur so lange, bis der Dirigent kommt und schlagartig alle Instrumente schweigen. Der wunderbare Klang erwartungsvoller Stille. Auch hier im Speisesaal.

Alle warten auf zwei Hölzer, die, aufeinandergeschlagen, die Erlaubnis zum Aufstehen geben. Augenblicklich bricht sie wieder über einen herein, diese lärmende Unordnung, eine mächtige Kakophonie, ausgelöst von Menschen, die schweigen.

Als ich Stunden später beim Abendessen an den Tisch trete, liegen auf dem Teller des Birnenmanns schon fünf Tofuwürstchen. Ich gucke ihn an. Ringe um ein Lächeln. Aber es gelingt nicht. Noch nicht?

10

Er heißt Constantin.

Was noch schöner ist, er sieht auch so aus. Jedenfalls muss in meinem Namensraster einer, der Constantin heißt, genauso sein: groß, mächtig, ein bisschen rau, die Gesichtszüge nicht ganz ebenmäßig, an der Grenze zum Beau glücklicherweise gerade noch so vorbeigeschrammt.

Seine Geschichte klingt so interessant, wie er aussieht. Er wird in Polen geboren. Als der Ostblock sich auflöst, ist er 15 Jahre alt. Um die Freiheit zu feiern, fährt er mit seiner Mutter nach Paris. Mit seiner Mutter wohlgemerkt, nicht mit seiner Freundin. Sie staunen über das, was sie sehen, tragen schon die Sehnsucht nach einem anderen Leben in sich, bevor sie zurück nach Warschau müssen. Als sie wieder im Zug sitzen, hat Constantin einen Plan. Er muss nur noch seine Mutter dafür gewinnen. Was ihm gelingt. Als der Zug durch Deutschland fährt, steigen sie in Köln aus, fahren weiter ins Ruhrgebiet, dort kennt die Mutter jemanden aus früheren Zeiten.

Alles, was sie haben, sind Wagemut und zwei Koffer. Es reicht, um sich allmählich gut einzurichten in einer fast neuen Welt.

Vor allem Constantin ist darin perfekt. Er probiert alles aus, rauscht durch sein Leben, die Mädchen rauschen mit, er lässt nichts anbrennen. Irgendwann, relativ früh, mit Anfang zwanzig, ist er es leid. Will die Richtung ändern, sucht nach einem neuen Weg.

Er wendet sich der Kirche zu, studiert katholische Theologie. Mönch zu werden will er seiner Mutter nicht antun. Sich selbst wohl auch nicht.

Er nimmt Betriebswirtschaft dazu, schließt das Studium mit Bravour ab, macht seinen Doktor, verdient viel Geld.

Aber (s)einen Weg kann er nicht erkennen.

Bis ihm jemand die Broschüre eines buddhistischen Zentrums hinschiebt.

Constantin macht eine Ausbildung zum Zen-Meister, bleibt dabei mitten im Leben, heiratet, wird Vater zweier Töchter.

Jetzt sitzt er mir hier im Garten des Zen-Klosters gegenüber, wir machen ein Interview für das Fernsehen.

Und das ist der Moment, wo ich mir meinen Lippenstift herbeiwünsche. Nicht dass ein bisschen Farbe auf meinen Lippen ihn weiter beeindruckt hätte, aber mich hätte es vielleicht zu Beginn eine Spur souveräner gemacht.

Wirklich?

Frau mit Lippenstift ist mehr Frau?

Und warum will ich mehr Frau sein, nur weil ich einem gut aussehenden Mann gegenübersitze?

Lohnt es sich, über Jahrzehnte entstandene Muster zu hinterfragen? Will ich sie ändern? Kann ich es überhaupt?

Für die nächsten anderthalb Stunden bleibt mir gar nichts anderes übrig. Mein Lippenstift hat sich nämlich auf dem Weg ins Kloster von mir verabschiedet. Ist mir in der Toilette des ICE aus der Hand gerutscht, hat sich im Waschbecken mit schnell kreiselnden Bewegungen meinem Zugriff entzogen und sich mit einem letzten silbrigen Blinzeln Richtung Ausguss auf seinen Weg ins Unbekannte gemacht.

Ein Moment der Panik, dann die nötige Gelassenheit. Gut, bin ich eben nur Christine Westermann. Die ohne Lippenstift. Die mit Zen-Constantin spricht, ein bisschen flirtet, nur so aus Übungszwecken. Anderthalb Stunden vergehen wie im Flug. Das Gespräch wird später komplett herausgeschnitten. Taucht in der Fernsehdokumentation nicht auf. Warum?

Haben wir das Thema verfehlt?

Wir haben uns gut unterhalten, miteinander übers Leben geredet.

Schließlich sind wir beide schon unterwegs.

Er ist mir nur ein Stück voraus.

11

Ich trage eine sehr gelbe Strickjacke. Es passiert nur den Anfängern, dass sie Lust auf Farben haben. Die anderen, die Eingeweihten, halten sich bedeckt. Mit grauen, leisen Farben. Nichts, was ins Auge fällt, was die anderen in ihrer Konzentration stören könnte.

Ich schäme mich ein bisschen, leuchtend wie ein Paradiesvogel daherzukommen. Gelbe Strickjacke, rote Hose, alles schön bunt hier bei mir. Zu bunt. Ich werde freundlich, aber energisch gebeten, mich umzuziehen, wähle ein schales Beige.

Damit es nicht noch weitere Pannen gibt, folgt eine freundliche Einweisung. Von einer Zen-Meisterin, die etwas Schwarz-Weißes trägt und über deren Leben ich mir sofort Gedanken mache. Mein Drehbuch sieht für sie eine große Enttäuschung in der Liebe vor. Ein Mann, der sie verlassen hat. Ziemlicher billiger Plot, aber egal.

Kann billig nicht auch wahr sein?

Rückzug in die Selbstbesinnung, ein paar Jahre in einem Kloster, am besten in einem japanischen, das macht mehr her. Irgendwann ist sie dann hier angekommen, im Schweigen, im Augenblick, in der Farblosigkeit.

Vielleicht sogar in der Vollkommenheit.

Was fehlt ihr noch zu ihrem Glück? Nichts?

Diese Möglichkeit treibt mich augenblicklich um.

Und noch etwas anderes.

Es gibt Seelenverwandtschaften, da bin ich mir ganz sicher. Diese Sicherheit ist dennoch vage, weil ich sie nicht begründen und schon gar nicht erklären kann. Aber als ich dieser Frau gegenüberstehe, die mich in die Grundbegriffe der Meditation und des Zen einweisen wird, bin ich mir sicher. Irgendetwas verbindet uns.

Ich habe nur keine Ahnung, was es ist.

Sie spricht von Gelb und Rot und den Farben, die es zu bändigen gilt. Von Aufmerksamkeit und Achtsamkeit.

Sie hat wunderschöne grünblaue Augen, in die ich hineinfalle und dabei sofort das Zuhören einstelle. Sie redet, aber meine Gedanken sind lauter.

Ich möchte, dass sie mich mag. Dass sie mich gut findet. Was muss ich tun, damit das passiert?

Auf die Idee, einfach so zu sein, wie ich bin, unverstellt eben, komme ich nicht. Ich versuche gelassener, klüger, sympathischer zu wirken, als ich mich fühle. Mehr zu sein. Es kostet Kraft, strengt an, weil ich es erzwingen will. Will, dass sie mich genauso schnell gut findet wie ich sie. Falls das nicht funktionieren sollte, kann es nur an mir liegen.

Da ist er wieder. Mein alter Bekannter, mein treuer Begleiter: der Verdacht, nicht gut genug zu sein.

Für Menschen wie diese Frau zum Beispiel. Starken Persönlichkeiten, wie sie eine ist, nicht genügen zu können.

Warum mache ich mich wieder ohne Not klein?

Es bleibt Zeit, darüber nachzudenken, ich habe stille Tage vor mir. Tage, an denen ich mit mir und den Dämonen in mir reden kann.

Dämonen? Verhinderer trifft es besser. Die Verhinderer, die mich zu Posen statt zur Wahrhaftigkeit drängen.

Warum? Weil das, was ich bin, wer ich bin, nicht reichen könnte? Weil mich eine Zen-Meisterin langweilig, uninteressant, fade finden könnte? Es ist die stete Wiederkehr von Mehr-scheinen-Wollen als Seinkönnen.

Sie redet noch immer, ich zwinge mich zum Zuhören und bin doch nicht bei der Sache. Als sie am Ende ihrer Instruktionen ist, fange ich an zu weinen. Bin selbst am meisten überrascht von dieser unerwartet hochsteigenden Traurigkeit.

Wo hatte sie sich versteckt?

Die Fernsehkamera ist dabei, zoomt auf mein Gesicht, auf die zitternden Lippen. Ich halte die Hand vor die Linse wie ein Krimineller, der nicht gefilmt werden will. Rette mich in ein Lachen, erzähle viel zu hektisch, dass Tränen nichts Besonderes bei mir seien, man sich daher keinesfalls sorgen solle.

Selbst für meine Ohren bin ich zu laut und zu bemüht. Die Zen-Meisterin nimmt meine Hände, formt sie zu einer Schale und sagt, ich solle die Tränen einfach auffangen. Und falls mir in der Meditation nach Weinen zumute sei, nur zu.

Später, allein in meinem Zimmer, ist nur noch ein unbestimmtes Schämen übrig.

Ist Weinen ein Zeichen von Schwäche?

War es überhaupt Schwäche?

War es nicht eher Sehnsucht? So fühlt es sich an. Aber Sehnsucht wonach? So mit sich eins zu sein wie diese Frau? So viel Sicherheit und Gelassenheit auszustrahlen, Wissen und Weisheit?

Schon so weit auf dem Weg zu sein wie sie?

Ist es das, was mich bewegt? Ich weiß es nicht.

Beim lautlosen Abendessen fehlt der Birnenmann. Er hat wie immer die Meditation Minuten früher verlassen, aber jetzt ist sein Platz am Tisch leer.

Roomservice?

Gerade noch rechtzeitig Tofuwürstchen und eine Schüssel Rote Bete auf sein Zimmer geschafft und unters Bett geschoben? Will er mal allein sein und sich selbst was Schönes von früher erzählen? Hat er es nicht mehr ausgehalten und ist heimlich abgereist? Was hat er nicht mehr ausgehalten? Das Mit-sich-Alleinsein, die inneren Monologe, die man wie von selbst mit sich beginnt?

Man kann nicht nicht denken. Denken, die stille Zwiesprache mit sich selbst.

Geht aber auch laut. Bei mir jedenfalls, als ich im Herrenklo stehe und die Pinkelbecken sauber mache. Vielleicht ist Herrenklo der falsche Ausdruck. Herren stelle ich mir anders vor. Herren pinkeln nicht daneben. Und falls doch, machen sie es hinterher ungeschehen, sie machen es weg, oder? Oder nicht.

In meinem Männerklo gilt: oder nicht.

Ich fange an, mich wegzuwünschen. Aber niedrige

Arbeiten, und Kloputzen ist erniedrigend, gehören zu den Aufgaben einer Zen-Meditation.

Sich auf die Arbeit zu konzentrieren, die gelben, braunen, farblich nicht mehr zu bestimmenden Flecken, Streifen, Krusten sehen, wahrnehmen und sie entfernen. Das ist schon alles.

In manchen Restaurants hängen auf den Toiletten freundliche Schilder mit der klugen Aufforderung: Verlasse diesen Ort immer so, wie Du ihn vorzufinden wünschst. So eine Art kantscher Imperativ für den Hausgebrauch hat das jemand mal genannt.

Was Du nicht willst, das man Dir tut, das füg auch keinem anderen zu.

Ist interessant, dass an einem solchen Ort der stille Zorn über Menschen, die es anderen überlassen, die Drecksarbeit zu machen, nur schwer zu bändigen ist. Wie lange dauert es, bis Gedanken wirklich bereit sind, zur Ruhe zu kommen. Geht das überhaupt? Nur im Augenblick, in jeder einzelnen Sekunde zu leben und das auch zu spüren?

Wenn ich »Jetzt« denke, ist das Jetzt schon vorbei, es ist schon zu spät.

Oder nicht?

12

Ich sitze vor dem Rotlicht einer Kamera und soll erzählen, warum mir die Tränen kamen, beim Abschied von der Zen-Meisterin. Und wie aus dem Nichts will ein Wort nach vorn, das mich überrascht, aber sehr stimmig ist: Dankbarkeit. Ich bin dankbar, dass ich die Chance bekommen habe, hier zu sein. In mich reinzuhören, der inneren Stimme einen Lautsprecher zu geben.

Wer auch immer mich führt und leitet, behütet und beschützt, hat einen Plan. Sonst wäre ich nicht hier. Auch dafür bin ich dankbar.

Einmal mehr muss ich übrigens mein Menschenbild korrigieren. Die Zen-Meisterin ist nicht verlassen worden. Im Gegenteil. Sie und ihr Mann sind zusammengeblieben, haben vor dreißig Jahren geheiratet, die drei Kinder sind schon erwachsen. Der Ehemann ist Metzger irgendwo im Bayrischen, sie ist Pastorin. Sie hat sich ihr Leben gut eingeteilt. Drei Tage in der Woche lebt sie für sich, meditiert, lehrt andere das Innehalten. Den Rest der Woche ist sie fest verankert in einem ganz anderen Alltag. Hochzeiten, Taufen, Beerdigungen, sonntags steht sie regelmäßig auf der Kanzel.

Als ich sie frage, was sie zum Zen-Buddhismus gebracht hat, ist die Antwort ebenso überraschend wie klar: die Müdigkeit.

Als die drei Kinder sehr klein waren, gab es für sie keine ruhige Minute, sie fand keine Zeit für sich. War einfach nur müde. Sehr müde.

Zu einem Geburtstag bekam sie von ihrem Mann einen Gutschein über einen Monat Zeit. Vier Wochen, mit denen sie machen konnte, was sie wollte. Mit dem Zeitgeschenk landete sie zufällig in diesem Kloster, in dem ich ihr jetzt gegenübersitze. Sie mochte sofort die Stille, das Zurückgezogensein. Kam immer wieder. Blieb schließlich.

Und geht. Ihren Weg, von dem sie nicht weiß, wohin er sie führen wird. Aber die Richtung ist nicht wichtig. Sie ergibt sich, wenn man mit sich selbst unterwegs ist.

Sie wartet nicht auf etwas, das kommen könnte. Es ist schon da. Das Leben. In jedem Augenblick.

—

Er ist nicht abgereist. Aber er ist ein anderer geworden, der Birnenmann. Er steht am großen Tor, und ich hätte ihn fast nicht erkannt. Kleider machen eben doch Leute.

Der Birnenmann, der sonst leicht geduckt in Braun-Schwarz im Speisesaal aufläuft, hat sich in ein flottes Jeans-Outfit geworfen. Flott, weil die Jeansjacke ziemlich modern ausgefranst ist und in ihrem oberen Teil Dutzende von bunten Pins stecken. Drunter trägt er ein knallorangеs T-Shirt, eine Lederkette mit Amulett, ein Lederarmband, an den Füßen edle Cowboystiefel. Und passend zur Jacke einen imposanten Jeanshut mit breiter Krempe. Der Mann macht was her, keine

Frage. Nicht so viel, dass ich ihm freiwillig meine Birnenration abtreten würde, aber er hat eine erstaunliche Wandlung durchgemacht. Er geht durchs Tor, winkt mir noch einmal kurz zu, wendet sich entschlossen nach links. Links gibt es nur noch ein Haus, dann kommt eine große Brombeerhecke, der Weg und auch das Dorf sind hier zu Ende. Dieses Haus hat es in sich. Es ist schön bayrisch und schön alt, in den Fenstern hängen Holzkästen mit roten Geranien. Über der Tür baumelt ein schmiedeeisernes Schild mit der Aufschrift »Zum goldenen Engel«. Vor dem Haus gibt es Tische mit karierten Tischdecken, und freundliche Bedienungen in Dirndln laufen hin und her, schleppen riesige Maßkrüge und üppig beladene Teller.

Es ist das dritte Abendessen, bei dem der Birnenmann fehlt. Beim Anblick seines leeren Stuhles überfällt mich eine unerwartete Gier nach Schweinsbraten mit Knödeln und einer Maß.

13

Am nächsten Morgen reise ich in aller Herrgottsfrühe ab. Wer hat diesen Begriff erfunden, Herrgottsfrühe? Eilfertige Menschen, die schon morgens vor dem ersten Sonnenlicht den Rücken krumm machen, um ihrem Herrgott zu dienen?

Herrgott. Klingt nach unerbittlicher Strenge, fast schon zum Fürchten. Hat mit meinem lieben Gott nichts zu tun. Auch nichts mit meinem Kinderglauben, den ich mir ins Erwachsenenleben gerettet habe.

Der Schauspieler Moritz Bleibtreu nennt ihn noch anders, er spricht von »meinem kleinen Gott«. In einem Interview hat er erzählt, wie nahe und wie verbunden er sich ihm fühlt.

Mein kleiner Gott. Hört sich an, als sei er nur für ihn da. Privatbesitz sozusagen. Das gefällt mir. Ist bei meinem Gott auch so. Vieles im Leben, sagt Bleibtreu, passiert weitaus weniger zufällig, als es scheint. Hat man das erst mal erfahren, ist es fast unmöglich, nicht daran zu glauben, dass es etwas gibt, was alles im Leben zusammenhält. Gottvertrauen hat etwas mit Urvertrauen zu tun. Das Wissen darum, dass jemand immer an meiner Seite ist, egal, was passiert.

Von klein auf war das bei mir mein Vater. Auf ihn konnte ich mich bedingungslos verlassen. Sein plötzlicher Tod war mein ganz persönlicher Urknall. Danach verschwand alles für Jahre in einem schwarzen Loch. Vielleicht hat Gott damals den Platz meines Vaters eingenommen. Und ist bis heute geblieben. Den Glauben, dass ich Trauer und Verzweiflung immer irgendwie überleben würde, habe ich danach nie mehr verloren.

Wenn ich auf Reisen, in fremden Städten bin, gehe ich gern in Kirchen. Setze mich hin und spüre der Stille nach. Zünde Kerzen für Menschen an, denen ich mich nahefühle. Mache ich manchmal auch im Kölner Dom. Nach einer Radiosendung rüberhuschen und Kerzen leuchten lassen.

Erst jetzt, Jahre später, ausgelöst durch den Klosterbesuch, wird mir bewusst, dass es einen Platz in meinem Inneren gibt, an dem ich zur Ruhe komme, zu Hause bin. Still ist es dort. Und ich fühle mich sicher, sehr sicher. Ist es mein Gotteshaus?

Die Meditation war für mich eine neue Form des Mit-mir-Alleinseins. Sie hat mich keine Minute gelangweilt oder angestrengt. Im Gegenteil, sie war mir sehr vertraut, eine überraschend schöne Erkenntnis.

Ich reise also sehr früh am Morgen ab, sehe in der Dunkelheit noch die schnellen Geher, bin selbst in Eile, denke nicht an das Jetzt, die Füße, die den Boden berühren, habe schon alle guten Vorsätze des Innehaltens vergessen.

Nur das wartende Taxi zählt, das mich zum Bahnhof bringt. Lauter als sonst höre ich den Lärm um mich herum, aber noch dominiert die Stille in mir. Ich sitze im Zug, bin auf dem Weg nach Hause, nach Köln.

Hoffe, dass ich alle Eindrücke konservieren kann. Wie man Kirschen oder Pflaumen einkocht, in Gläser füllt, damit man noch lange Zeit etwas von ihnen hat.

14

Mit der Wucht des Alltags habe ich nicht gerechnet, ich habe sie unterschätzt. Es stellt sich schnell eine unbestimmte Sehnsucht ein, nach einem geregelten Tagesablauf, dem Gehen am frühen Morgen, dem Schweigen, dem Strand im Stabparkett, den Kirchenglocken. Die Hektik, die sich beinahe sofort anschleicht, ist mir zuwider, ich wehre mich dagegen, so gut es geht.

Nachts träume ich von einer fetten grün gesprenkelten Schlange, die sich auf meine Luftmatratze drängt. Ich zögere keine Sekunde, greife beherzt zu. Direkt hinter ihrem Kopf drehe ich ihr die Luft ab. Eine Nacht später sind die Schlangen kleiner, aber mehr geworden. Macht nichts, ich schneide ihnen mit einer Nagelschere die Köpfe ab.

Angst? Nein, höchstens für den Bruchteil einer Sekunde. In meiner inneren Ursuppe kommt wohl gerade einiges in Bewegung.

~

Wochen später bin ich im Schneideraum und sehe den Rohschnitt der Dokumentation. Stelle sehr irritiert fest, dass auch mein Lieblingslippenstift es nicht rausgerissen hätte. Kein bisschen. Ich sehe eine müde ältere Frau in einer ollen Strickjacke, die diesem optisch in der Tat beeindruckenden Constantin gegenübersitzt und zuhört. Falls es Flirtversuche gegeben hat, dann wohl nur in meinen Gedanken. Wunschdenken. Ich bin überrascht, wie sehr man stattdessen meinem Gesicht die seelische Not ansieht. Die Zweifel, ob es gut war, worauf ich mich eingelassen habe. Die Anstrengung, vor aller Öffentlichkeit nach dem Sinn des Lebens zu suchen. Manchmal flüchte ich mich im Gespräch in leichte Ironie, das geht ordentlich daneben.

Es kostet mich Kraft, mir das auf dem Bildschirm anzugucken. Manchmal blinzele ich nur noch Richtung Monitor, möchte, dass es vorbei ist.

Dabei fängt sie gerade erst an, die Mutprobe. Mein Innerstes nach außen zu kehren. Im Fernsehen. Für jedermann sichtbar.

15

Werde Du erst mal so alt wie ich, dann können wir noch mal darüber reden. Ich hätte nie gedacht, dass mir mal so ein überheblicher Satz herausrutschen würde.

Ich bin jung an der falschen Stelle. Noch zu jung, um schon die Weisheit des Alters zu haben. Die Weisheit eines Menschen, hat jemand gesagt, bemisst sich nicht nach seinen Erfahrungen, sondern nach seiner Fähigkeit, Erfahrungen machen zu wollen. So weit bin ich wohl noch nicht. Ich schmettere jedenfalls den ersten Versuch des Produzenten, mich vor dem Klosterbesuch noch mit einem Meditations- und Atemtherapeuten zusammenzubringen, fast schon empört ab.

Will ich nicht, brauche ich nicht.

Wie alt ist er? 43?

Ist doch lächerlich, ich bin mehr als zwanzig Jahre älter als er, das heißt doch auch, ich habe zwanzig Jahre mehr Leben als er erfahren. Was soll mir dieser Mann also zu sagen haben, was ich nicht schon wüsste?

Der Produzent lässt nicht locker, ich treffe Georg, bevor ich ins Kloster fahre. Mitten in der Stadt sitzen wir vor einem Café. Draußen, im Freien, obwohl kalter Regen von oben und heftiger Wind von vorn kommt. Für die Kameraeinstellung ist es so besser, in unserem Rücken Autoverkehr, die vielen bunten Lichter verschwimmen in fadem Morgenniesel, Menschen mit Regenschirmen huschen vorbei, das sieht nach Unruhe aus, Getriebensein, nach Großstadt eben. Könnte ein interessanter Gegensatz werden zur Klosterruhe, die mich bald umfangen wird. Georg und ich kennen uns nicht, haben uns aber eine Menge zu sagen. Besser, ich habe ihm viel zu sagen, will ihm unbedingt klarmachen, dass ich schon weiter bin, als er vermuten könnte. Längst nicht so ratlos und unsicher, wie es naheläge, bei einer Frau, die auf dem Weg zur inneren Einkehr in ein Kloster ist und deren Zug dorthin in drei Stunden fährt.

Georg beeindruckt mich sofort durch seine Ruhe, sein Lachen, die gelassene Aufmerksamkeit, mit der er meine zur Schau gestellte Überheblichkeit quittiert. Er erzählt mir etwas vom Augenblick, der zählt, vom Jetzt, weil kein Mensch wissen kann, ob es ein Morgen für ihn überhaupt noch geben wird. Es folgt das unvermeidliche Beispiel vom Blumenkübel, der mich im Hier und Jetzt von oben treffen könnte. Dann war's das mit dem Morgen.

Das hat mir gerade noch gefehlt, denke ich. Im Augenblick leben, wie soll ich das denn machen? Deshalb bin ich doch unterwegs zu einer Auszeit, weil ich wissen will, wo es für mich im Leben langgeht. Nicht jetzt. Da geht es gleich Richtung Bahnhof. Morgen zählt, die Zukunft.

Wenn ich erst mal die Richtung weiß, bin ich gern bereit, so viele Augenblicke wie nur möglich reinzupacken. Von mir aus ignoriere ich auch gern mal die Zukunft. Obwohl ich das nicht will. Ich will mir über meine Zukunft Gedanken machen. Was könnte in einem Jahr sein, in vier? Und was ist, wenn ich siebzig bin?

Wir gehen auseinander mit dem Versprechen, uns nach dem Kloster wiederzusehen und noch mal einen Versuch im Hier und Jetzt zu unternehmen. Unter Beobachtung einer Fernsehkamera.

Ich weiß nicht, ob Georg bei unserem ersten Treffen gemerkt hat, wie hohl ich mich gefühlt habe. Wie falsch es war, nach vorn zu preschen, ihn verbal anzurempeln, ohne mal eine Minute abzuwarten, wer mir da eigentlich entgegenkommt, wer dieser Georg eigentlich ist. Ich schäme mich, bin mir selbst unangenehm, hoffe schon jetzt, dass er unsere erste Begegnung, jenen ersten für mich missglückten Einstieg irgendwie nicht so ernst nimmt. Welch wichtige Rolle er in meinem Leben spielen würde, konnte ich zu diesem Zeitpunkt noch nicht ahnen. Zum Glück, meine Scham wäre noch größer gewesen.

Zwei Wochen später sehen wir uns wieder.

Wieder ist eine Fernsehkamera dabei, aber diesmal bin ich sehr froh darüber. Sie liefert ein beeindruckendes Bilddokument, wie ein Mensch wirkt, dem etwas klar geworden ist. Wie es aussieht, wenn Licht auf eine Stelle fällt, die bislang im Dunkeln lag.

Wenn das Wort von der Erleuchtung nicht schon so oft und widersinnig bemüht worden wäre, ich würde es glatt so nennen. In mir klärt sich etwas, während ich mit Georg über meine Klosterzeit spreche. Ich spüre, was er mit dem Hier und Jetzt meint. Bin aufgeregt vor Freude, weil ich es verstehe, während ich mit ihm spreche. Es ist so einfach: leben, nicht warten.

Nicht darauf hoffen, dass sich eine Richtung auftut. Leben.

Ja klar, der Weg ist das Ziel, ich kenne den Satz, die Karten mit solchen Sinnsprüchen gibt es schon in jedem Supermarkt. Nur begriffen habe ich sie erst JETZT.

Im Fernsehen wird man später sehen, wie ich strahle, als hätte jemand unverhofft ein Licht in mir angeknipst. Ich freue mich wie ein Kind über ein großes unerwartetes Geschenk.

16

Wie ist das mit Zornesröte?

In den etwas schlechteren Romanen schießt sie den Protagonisten unvermittelt ins Gesicht. Würde ich es an der Temperatur meines Kopfes messen, bin ich gerade im Mittelpunkt einer wahrhaft schlechten Geschichte.

Ich sitze vor dem Computer, mein Kopf ist heiß und rot, ich könnte vor Wut gegen ein Schreibtischbein treten. Ich habe soeben die Pressemitteilung gelesen, die der Sender zur Klosterdokumentation herausgegeben hat. In einer kleinen Oberzeile steht irgendetwas von Sinnfrage. Und darunter, in fetten Lettern, kommt sie, die Sinnfrage, die mir in den Mund gelegt wird: Wie viel Leben bleibt mir noch?

Wie bitte? Christine Westermann fragt sich, wie viel Leben ihr noch bleibt?

Möglichkeit 1: Sie hat eine todbringende Krankheit und kann die noch verbleibenden Lebensmonate an einer Hand abzählen.

Möglichkeit 2: Von der Öffentlichkeit völlig unbemerkt, ist sie bereits stark vergreist, kurz vor dem Ableben, und verabschiedet sich mit dieser Dokumentation für immer vom Fernsehpublikum.

Wie viel Leben bleibt mir noch?

Das ist keine Sinnfrage. Das ist eine Unsinnsfrage.

Es geht mir nicht um das Wieviel. Das Wohin ist das Entscheidende, die Richtung, die ich meinem Leben noch geben will. Nur deshalb habe ich mich auf diese Suche eingelassen.

Es gelingt mir, meinen Zorn so weit zu kanalisieren, dass ich einen sehr klaren Brief schreibe, in dem ich feststelle, dass ich mich aus diesem Projekt zurückziehen werde, sollte dieser Unsinn weiter öffentlich die Runde machen.

Zwei Minuten später habe ich – inklusive Entschuldigung, Kniefall und Zerknirschung – die Zusicherung, dass der Pressetext geändert wird. Mein Zorn ebbt ab, zieht sich zurück, als würde Moses das Meer teilen.

Und mir bleibt eine kleine, aber interessante Erkenntnis. Ich habe nicht gezetert, nicht gejammert, ich war nicht emotional, nicht in der Mail, allenfalls in Richtung Schreibtischbein. Stattdessen war ich klar, sehr klar: so nicht. Mit mir nicht. Das könnte ich in Zukunft häufiger mal versuchen.

17

Als würde mir mein Verstand den Zugang zu den einfachsten Dingen verwehren.

»Guten Abend, wie geht's?«

»Sind Sie das erste Mal hier?«

Simple Fragen, harmlose Sätze, die mich überfordern, wenn ich mit einem Glas in der Hand in einer illustren Runde stehe. Falsch. Sie muss nicht einmal illuster sein, die Runde. Nur fremd müssen sie sein, die Menschen, neu, mir unbekannt. Nichts geht mehr, ich bleibe stumm, bin unfähig, Small Talk zu machen. Eine leichte Unterhaltung zu beginnen, Oberflächliches, von mir aus auch sinnfreies Wortgeklimper zu produzieren, scheint gänzlich ausgeschlossen.

»Mir geht es gut, danke. Ich war schon im letzten Jahr hier. Und Sie?« Kommt mir nicht über die Lippen. Ich habe in meinem Leben viele Interviews gemacht, Fragen gestellt, mich für Leute interessiert, warum funktioniert das nicht auch privat?

»Wie schmeckt Ihnen der Wein, den Sie trinken?«, könnte ich fragen. Ideale Startrampe für mein Gegenüber für einen Freiflug zu seinen bevorzugten Rebsorten.

»Ich mag ja am liebsten Rotwein, vor allem den italienischen, aber bei unserer letzten Reise waren wir in Apulien, haben ein kleines Weingut kennengelernt, der Rosé, den sie machen, war fantastisch.«

Man muss jetzt nur noch geschickt nachfragen, um das Gespräch endlos in Gang zu halten. Man erfährt vielleicht alles von seiner Weltreise, die ihn damals nach Australien geführt hat, wo er auch im Barossa-Valley war. Jenem fantastischen Weingebiet, in dem vor zweihundert Jahren deutsche Auswanderer …

So könnte es doch gehen, oder? Mit der schlichten Frage nach dem Wein kann man locker eine halbe Stunde Zeit schinden, in der man dem gepflegten Monolog eines Weitgereisten lauscht.

Nicht mit mir.

Ich ducke mich lieber sachte weg, weil ganz sicher Fragen kommen, ich Gefahr laufe, als naive Nichtwisserin dazustehen.

Solche Fragen beginnen immer mit »Kennen Sie …?«. Dahinter kommen dann wahlweise ein Schriftsteller/Buchtitel, ein Film, eine paradiesische Insel, eine Weinsorte. Falls man schon beim ersten Mal passen muss, kommt's noch schlimmer.

»Den Dowie Doole kennen Sie aber doch, der ist ja weltberühmt, dieser australische Rote? Nein?«

»Wissen Sie, er ähnelt im Geschmack sehr dem südafrikanischen Fat Bastard. Soviel ich weiß, wurde der gerade als bester südafrikanischer Merlot des Jahres ausgezeichnet. Wundert mich, dass Sie den nicht kennen.«

Ich schüttele betrübt den Kopf, bin mir aber nicht sicher, ob ich jetzt vielleicht fragen soll, was er von AN 2 hält. Ihn erst mal auflaufen lassen, ehe ich ihm sage, dass es ein preisgekrönter Roter von der Insel Mallorca ist, um ein sehr freundliches »Wie? Den kennen Sie nicht?« hinterherzuschicken. Vielleicht auch noch ein winziges helles Lachen, verbunden mit der Hammerplatitüde: »Warum in die Ferne schweifen, sieh, das Gute liegt so nah, nicht wahr?«

Aber all das traue ich mich nicht. Warum?

Weil ich es langweilig finde? Weil es gemein und billig ist? Weil ich in meinem Leben schon viel zu viele Wichtigtuer getroffen habe, die hemmungslos über einen herfallen, einen zuschwallen und nicht eine Sekunde versuchen, eine wirkliche Unterhaltung zu führen, den anderen mit einzubeziehen. Ich weiß, dass das stimmt, weil ich selbst so ein Wichtigtuer sein kann. Von Reisen erzähle, die besonders attraktiv waren, von Weinen, die schwer zu kriegen sind, von Golfplätzen, die eine phänomenale Lage haben. Wenn ich es merke, dann ist es übrigens immer zu spät. Mir bleibt nur unangenehmes Schamgefühl. Ich bin mir selbst peinlich.

Wenn ich an Empfänge nach Preisverleihungen, an After-Show-Partys, an Filmpremieren oder Lesungen denke, dann laufen Gespräche oft so ab wie gerade beschrieben. Um ehrlich zu sein, manchmal auch anders, aber meist gehen sie nicht gut aus, wenn ich den Anfang mache. Sicher mit ein Grund, warum ich mit völlig Fremden lieber stumm auf der Stelle trete.

Small Talk konnte ich noch nie, nicht mit 25 und mit 65 schon gar nicht.

Jedes Jahr richtet der Sender, bei dem ich arbeite, ein großes Fest für prominente Fernsehleute aus. Zu den Prominenten zählen die, die vor einer Kamera stehen dürfen oder einen wichtigen Preis, in welcher Kategorie auch immer, bekommen haben. Man muss dabei nur eine Regel beachten: zusammenstehen, smalltalken und sich amüsieren. Nach meiner Erfahrung sehen die meisten so aus, als könnten sie das.

Jetzt kann ich nicht Jahr für Jahr das klinische Wörterbuch bemühen, um eine möglichst originelle kleine Krankheit zu finden, die schnell vorbeigeht, nicht lebensbedrohlich ist, aber doch so unangenehm, dass sie einen unter allen Umständen leider davon abhält, jenes Fest zu besuchen. Dieses Jahr bin ich dran, soll ich, muss ich dabei sein. Auf dem Weg dorthin schicke ich diverse Wünsche ans Universum, erbitte inbrünstig etwas sehr Unverhofftes. Stromausfall, Hochwasser, Erdbeben, Eisberge, die auf den Partyort zutreiben.

Das Universum zeigt sich ungnädig. Beinahe schon gnadenlos, denn ich komme auch noch zur rechten Zeit, weil ich diesen Pünktlichkeitswahn habe. Das heißt, ich treffe zusammen mit einem großen Schwung Promileuten ein, muss über einen roten Teppich, nach allen Seiten grüßen, in zehn Kameras lächeln. Prompt rausche ich dem ersten Promi, der vor mir steht, in die Hacken, weil ich mich darum bemüht habe, den Fotografen ein wirklich gut gelauntes Lächeln zu schenken.

»Hallo, wie geht's?«

»Danke, und Ihnen?«

»Gut.«

Und jetzt? Jetzt ist da nichts. Nichts als Schweigen, das mir in den Ohren dröhnt. Ich könnte die Flucht nach vorn antreten und ihn fragen, ob er Small Talk auch so schlecht beherrscht wie ich, aber ich traue mich nicht.

Er sagt nichts und mir fällt nichts ein.

Ich könnte den Anfangsdialog variieren, in veränderter Form neu auflegen:

»Und, alles gut?«

Oder:

»Wie isses?«

Es geht sogar noch eine Nummer smaller, schlichter: »Ach, auch hier?«

Mir bricht vorsichtig der Schweiß aus.

Der Kopf denkt komplett verquer: Der Typ findet mich total blöd. Bestimmt, sonst würde er doch was sagen. Sicher wartet er nur höflichkeitshalber noch eine halbe Minute, zieht erleichtert weiter, um endlich mit Menschen in Kontakt zu kommen, die deutlich beredter sind als ich. Soll ich ihm einfach zu verstehen geben, dass er mich stehen lassen kann, weil ich nichts zu sagen habe? Noch stehen wir uns gegenüber, belauern uns unsicher, ich kann seinen Blick nur schlecht aushalten. Ich lächle, täusche coole Lockerheit vor, dabei fühle ich mich, als wäre ich schockgefroren. Und merke, wie ich mich mit Rekordgeschwindigkeit in etwas total Lächerliches hineinsteigere. Das hier ist keine Reifeprüfung. Es geht auch nicht um Leben und Tod. Es ist nur eine Party, ein fröhliches Fest. Es geht um nichts. Mag sein, dass die anderen das so sehen. Für mich fühlt es sich an, als ginge es um alles.

Als liefe über meine Stirn in neonfarbener Laufschrift: Bitte sprechen Sie diese Frau nicht an. Es bringt nichts. Sie ist unfähig, mit Ihnen eine kleine Unterhaltung zu führen. Sie verschwenden Ihre Zeit.

Ich lasse mich durchs Gedränge schieben. Wäre liebend gern unsichtbar. Wenn das nicht geht, wenigstens in einer kleinen, abgedunkelten Nische versteckt, wo ich entspannt zugucken kann, wie perfekt all die anderen ihre Wortwitze präsentieren, wie sie lachen, sich freuen, sich wohlfühlen, Spaß haben. Alle, nur ich nicht. Ich sehe Menschen, die ich kenne, bleibe stehen, um Anschluss zu finden, habe augenblicklich das Gefühl, mich irgendwo reinzudrängen, zu stören.

Ich gucke auf die Uhr, in der Hoffnung, schon gehen zu können. Ausgeschlossen, ich bin noch nicht mal eine halbe Stunde hier.

Ein bekannter Fernsehmann schubst mich an, entschuldigt sich freundlichst.

»Oh, sorry. Ach hallo, wie geht es denn?«

Würde ich ihm jetzt die Wahrheit sagen, hätten wir wenigstens ein Gesprächsthema.

»Wissen Sie, mir geht es gar nicht gut. Ich fühle mich vollkommen fehl am Platz. Mir fällt es schwer, mich über nichts zu unterhalten.«

»Wirklich? Sind Sie da ganz sicher, dass Sie das nicht können? Sie brauchen doch nur ein bisschen Aufmerksamkeit, Interesse für den Menschen, der vor Ihnen steht.«

»Da haben Sie recht. Ist ja auch das Geheimnis eines guten Interviews. Im Fernsehen kann ich das, aber hier, im richtigen Leben, will mir das nicht gelingen. Was ist denn Ihr Trick, wie fangen Sie ein Gespräch an?«

»Keine Ahnung, es kommt ganz auf mein Gegenüber an. Aber einen Trick gibt es ganz sicher nicht. Ich finde es schön, mit Menschen in Kontakt zu kommen, die man noch nicht kennt. Sich zu unterhalten, eine gute Zeit zu haben, finden Sie nicht?«

»Ehrliche Antwort?«

»Natürlich!«

»Nein.«

Der Dialog hat so leider nie stattgefunden, ich hätte ihn gern fortgesetzt, um zu lernen, zu begreifen, wie man wildfremde Menschen in ein unterhaltsames Sieben-Minuten-Gespräch verwickelt.

Der freundliche Fernsehmann verabschiedet sich mit dem perfekten Small-Talk-Ende.

»Viel Vergnügen noch!«

Wann aber wäre es ein Vergnügen für mich? Was müsste an die Stelle der kleinen Unterhaltung treten? Etwas Größeres? Statt der abgenutzten »Wie geht es«-Floskel, die nur an der Oberfläche wabert, etwas Tiefergehendes? Oder vielleicht tatsächlich nur etwas Naheliegendes? Vielleicht ein Anfang, mit dem man versucht, ein wenig ehrliche Nähe zu jemandem zu finden, den man noch nicht kennt?

Vielleicht:

»Wie war Ihr Tag heute?«

»Danke, gut.«

»Was hat Ihnen richtig Freude gemacht?«

»…«

»Und worauf hätten Sie gut verzichten können?«

»…«

»Wenn Sie jetzt nicht hier wären, wo wären Sie dann am liebsten?«

Ist das zu nahe? Zu dicht dran?

Ich für meinen Teil hätte große Lust, ein Gespräch so anzufangen. Hören, wer da vor mir steht, was ihn freut, was ihn bedrückt.

Ich würde auf solche Fragen gern antworten.

Vielleicht finden ja sogar genau jetzt diese Gespräche statt?

Ich sehe ein bekanntes Gesicht. Der Mensch, der dazugehört, sieht mich auch. Es kommt zum unvermeidlichen »Wiegehtes?« Nach zwei Gläsern Wein habe ich mich leicht entkrampft, wir brummeln über alles. Und nichts. Das Nichts scheint gerade weniger schlimm zu sein als noch am Anfang des Abends. Macht das der Alkohol?

Ganz netter Mensch, denke ich, netter Mann? Wäre sicher auch ein guter Gast für die Sendung. Ich traue mich spontan, sie platzt geradezu aus mir heraus, die Frage, ob er Lust hat, zu »Zimmer frei« zu kommen. Der Blick, mit dem er mich bedenkt, zeigt Überraschung, vielleicht sogar leichten Unmut.

»Ich war doch schon da, vor drei Jahren im Herbst.«

Bingo.

Ich beschließe, mich erst mal zurückzuziehen und zu sortieren.

Ich gehe auf die Toilette. Vor dem Waschbecken sind vier Frauen damit beschäftigt, eine andere wieder auf die Füße zu stellen. Sie hängt kreidebleich über dem Waschbecken, die Freundinnen improvisieren Erste Hilfe mit nasskalten Taschentüchern.

Ich gehe in die Kabine, klappe die Klobrille runter, schinde Zeit, lasse mich vom Stimmengemurmel, von ferner Musik und stetem Wasserrauschen hinwegtragen. Als ich plötzlich eine Männerstimme höre, verlasse ich mein Zufluchtsörtchen, kehre in die Wirklichkeit zurück und sehe einen Rettungssanitäter, der sich um die junge Frau kümmert, die jetzt lang ausgestreckt auf dem Fliesenboden liegt. Der Small Talk, den die beiden zuwege bringen, ist jedenfalls bemerkenswert:

»Wie geht es Ihnen?«

»Schlecht.«

»Ich gebe Ihnen ein Kreislaufmittel.«

»Muss ich jetzt sterben?«

»Nein, heute nicht.«

Ich gehe in die lärmende Menge zurück, sehe einen Schauspieler, den ich aus dem Fernsehen kenne, aus meiner eigenen Sendung. Endlich mal einen, mit dem man Gesprächsstoff hat, ist der Gedanke, der meiner sehr herzlichen, aber auch irgendwie einseitigen Umarmung vorauseilt.

»Schön, Sie wiederzusehen. Ich erinnere mich noch immer gern an die Sendung, die wir damals gemacht haben. Wie lang ist das jetzt her?« Ein Lächeln von seiner Seite, vielleicht eine Idee zu distanziert. Fast irritiert. Anders als seine Antwort. Die ist eben so klar wie freundlich.

»Sie müssen mich verwechseln. Ich kenne Sie nicht. Aber was nicht ist, kann ja noch werden, oder?«

Muss ich jetzt sterben?

Ich brauche nicht einmal einen Sanitäter, um mir diese Frage zu beantworten.

Ja, klar. Auf der Stelle. Vor Scham.

18

Ich bin ein Geber. Ein Zu-viel-Geber. Die Liste der Gründe, warum ich nichts für mich behalten kann, ist lang:

Weil ich genug habe und andere nicht.

Weil ich mehr als genug habe. Vielleicht zu viel.

Weil der, der viel hat, dem geben soll, der weniger hat.

Weil mir dieser Satz richtig erscheint.

Weil mir das Wohl anderer wichtig ist.

Wohl wichtiger manchmal als mein eigenes.

Fängt bei Kleinigkeiten an. Ich bin der typische Flügelkandidat beim Gänseessen zu Weihnachten.

Eine Gans hat zwei Beine. Jene begehrenswerten Keulen, an denen viel Fleisch hängt. Und zwei Flügel. Denen man schon im Rohzustand ansieht, dass an ihnen nichts dran ist außer Gänsehaut. Keiner will den Flügel. Mein Standardsatz aber, wenn die Gans tranchiert ist und es an die Verteilung geht, lautet: Gebt mir mal den Flügel, den esse ich immer noch am liebsten. Glatt gelogen. Aber schon so viele Jahre praktiziert, dass ich manchmal selbst daran glaube.

Ein Zu-viel-Geber ist fast immer auch ein Nicht-nein-Sager.

Der Mann an der Haustür sieht frisch, energisch, entschlossen aus. Entschlossen bin ich allerdings auch.

Ich will nicht Mitglied beim Deutschen Roten Kreuz, Sektion Köln-Süd, werden. Ganz sicher nicht. Ich spende gern, was das Zeug hält, aber das DRK steht nicht auf meinem Zettel. Zu groß, zu weit verzweigt, zu bekannt. Mir liegen die kleinen Organisationen am Herzen. Die auch deshalb unbeachtet bleiben, weil sie nicht genug Männer in dunkelblauen Anzügen haben, die an fremden Haustüren klingeln.

Der Dunkelblaue ist gut, von seiner Spendensache überzeugt, beredt, fast schon mitreißend. Ich tue, was ich kann. Täusche unaufschiebbare Arbeit vor. Will ihn mit einer Zwanzig-Euro-Spende abwimmeln.

Sage sogar die Wahrheit. Dass ich keine Lust habe, irgendwo Mitglied zu werden. Nicht mal bei einer Partei. Mein Widerstand erweist sich als mickrig. Ich sehe ihm an, dass er das schon weiß. Nur ich weiß nicht, warum ich ihn hereingebeten habe, warum er jetzt tatsächlich an meinem Küchentisch sitzt. Ich unterschreibe ein Fünf-Seiten-Formular, bekomme eine zehnstellige Mitgliedsnummer, zahle den ersten Monatsbeitrag in bar, gehöre von Stund an zur weltweiten Gemeinschaft des Deutschen Roten Kreuzes, vor allem aber des Bereiches Köln-Süd. Das garantiert mir im Notfall einen Hubschraubereinsatz und eine Vorzugsbehandlung am Unfallort. Vorausgesetzt, ich trage den Mitgliedsausweis ständig mit mir herum. Falls ich lebenslang unfallfrei bleiben sollte, finanziere ich eben eine gute Sache, und wenn es nur der heiße Tee für die Autofahrer bei Wintereinbruch auf der gesperrten Sauerlandlinie ist.

Als Zu-viel-Geber ist man immer auch Opfer. Fette Beute für jene, die ein Auge haben für den Mitleidsknopf, den man bei mir nur kurz drücken muss, damit die Geldquelle sprudelt.

Margret beherrscht diese Taktik perfekt.

Ich mache Ferien in einem Land, wo ein Zu-viel-Geber wie ich am besten gleich mit einem Geldkoffer anreist, um das schlechte Gewissen – die haben zu wenig, ich habe zu viel – nachhaltig zu entlasten.

Margret gehört zum Personal des Guesthouse, sie serviert das Frühstück, die Stirn in Falten gelegt. Es geht ihr nicht gut. Sie hat Kopfschmerzen. Am nächsten Tag auch. Und am übernächsten sind sie kaum noch auszuhalten. Nein, ausgeschlossen, an einen Arztbesuch ist nicht zu denken, das ist zu teuer, so viel Geld hat sie nicht.

Sie hat das Wort teuer noch nicht ganz ausgesprochen, da habe ich schon das Portemonnaie in der Hand. Sie vergisst beinahe augenblicklich, dass sie wegen der schlimmen Kopfschmerzen seit drei Tagen schwerfällig durch den Frühstücksraum schlurfen musste. Jetzt schwebt sie hinaus, mein Geld in ihrem Büstenhalter vergraben.

Am nächsten Tag bringt sie meine frisch gebügelte Wäsche. Ich sitze auf der Terrasse, vor mir der weiße Strand, der stahlblaue Himmel, der Ozean gibt sich wie gemalt, smaragdgrün mit Schaumkrönchen, ein Tag im Paradies.

Margret nähert sich schweigend meinem Liegestuhl, guckt mit mir aufs Meer hinaus. Sie räuspert sich kurz, beginnt einen Satz, aber ihre Stimme bricht, ehe sie ihn zu Ende bringen kann.

»My brother … boat … dead.«

Damit nicht genug, der im Sturm auf dem Meer ertrunkene Bruder hat drei kleine Kinder hinterlassen, um die sich Tante Margret jetzt kümmern muss, Essen, Schulsachen, Schuhe, Kleidung. Ich wage nicht mal zu fragen, ob die Kindsmutter auch untergegangen oder lediglich anderweitig abhandengekommen ist. Margret scheint mir zu verzweifelt und noch zu tief in der vergangenen Katastrophe verhaftet, um solche kleinlichen Fragen schon ertragen zu können. Denn kleinlich sind sie, oder nicht? Eine mittelalte Frau mit unerträglichen Kopfschmerzen kümmert sich rührend um ihre vollwaisen Neffen. Das ist das Einzige, was zählt.

Und welches Bild gebe ich ab?

Verwöhnte Touristin, die am helllichten Nachmittag mit trockenem Weißwein auf der Terrasse sitzt, keinen Finger rührt, für Flug und Aufenthalt ein kleines Vermögen verprasst, während anderer Leute Verwandtschaft im Ozean ertrinkt.

Zwei Tage später ist dann ein zweiter Bruder, ebenfalls mit weitläufiger Familie, unter einen Lastwagen gekommen und hat ein Bein verloren. Als am Ende der Katastrophenwoche auch noch eine von Margrets kleinen Vollwaisen mit Verdacht auf Gehirntumor in die Kinderklinik kommt, habe ich es dann auch begriffen. Der Mitleidsknopf war fortan außer Betrieb. Kurzfristig zumindest.

~

Manchmal werde ich das Gefühl nicht los, als müsse ich eine bestimmte Erwartungshaltung erfüllen. Die Fernsehfrau. Bestimmt hat sie ein Haus mit Kiesauffahrt und Buchsbäumchenallee. Dass die Fernsehfrau in einem Vier-Parteien-Haus wohnt und die Treppe putzt, weil die Putzfrau eine Stauballergie hat, ist zwar die Wirklichkeit. Aber die kennt ja keiner.

Haben kommt von Halten. Ein Satz, der mir, seit ich Geld verdiene, ebenso selbstsüchtig wie peinlich erscheint. Nur leider ist er wahr.

Ich habe gehabt in meinem Leben. Viel gehabt, aber ich habe es nie gehalten. Bis heute halte ich es erst dann fest, wenn ich fast nichts mehr habe. Oder es knapp werden könnte.

Ein Journalist hat mich bei einem Interview gefragt, was für mich in meinem Leben bis jetzt der größte Luxus gewesen sei. Meine Antwort kam ohne großes Zögern, hat mich in ihrer Klarheit allerdings selbst überrascht. Der größte Luxus, den ich mir bisher in meinem Leben geleistet habe, ist, KEIN Haus in der Sonne am Mittelmeer zu haben. Keine teure Uhr. Oder teure Kunst. Hätte im Laufe der Jahrzehnte sicher gut klappen können, hätte ich gehalten, was ich hatte.

Luxus ist für mich stattdessen loszulassen, nicht festzuhalten. Am Ende eines fröhlichen Abends im Restaurant zum Beispiel die Rechnung für alle zu übernehmen. Nicht einmal. Immer wieder.

Vor ein paar Jahren, als ich auf die 60 zulief, hat mich die Erkenntnis mächtig umgetrieben, dass noch immer kein zwölfteiliges Porzellanservice in meinem Küchenschrank stand. 60 Jahre alt zu sein und noch immer keinen kompletten Haushalt zu besitzen. Keine Messerbänkchen, keine Damasttischdecken, die Lampen sind von Ikea.

Was habe ich davon zu haben? Wie beruhigend ist es, ein Vermögen beiseitegelegt zu wissen? Ein Haus zu besitzen, Werte sein Eigen nennen zu können? Finanzielle Werte?

Sehr beruhigend? Habe ich dem etwas entgegenzusetzen?

Was ich habe, habe ich im Kopf, respektive im Herzen verstaut. Es sind ideelle Werte, prall und bunt, die mein Leben reich gemacht haben. Erinnerungen, Ereignisse, Reisen, Menschen. Ich habe mir viel geleistet. Aber es gibt nichts, was ich vorweisen könnte.

Gilt das? Oder ist das doch eher verpulvert?

~

Vor einiger Zeit habe ich eine ältere Dame getroffen. 86 Jahre alt. Rosi ist eine ehemalige Religionslehrerin, sie war knapp zwanzig Jahre alt, als Bilder von blinden Menschen in Pakistan und Bangladesh sie tief erschüttert haben. Sie wollte sofort etwas geben, helfen.

»Wo willst du anfangen?«, hat man sie damals belächelt. »Es gibt Millionen blinder Menschen.«

»Beim ersten«, hat sie geantwortet. Und angefangen, Spenden zu sammeln.

Heute, mehr als sechzig Jahre später, hat sie es mit ihrer Organisation geschafft, Hunderttausenden von Menschen das Augenlicht zurückzugeben. Eine Operation gegen den grauen Star kostet umgerechnet dreißig Euro, viele Menschen in Deutschland haben gespendet, Frau Rosi hat es an die richtige Stelle gebracht. Mittlerweile kümmern sich ihre Mitarbeiter auch um viele andere Projekte. Um Frauen, um Kinder, um Kranke. Die alte Dame ist nicht stolz auf das, was sie geschafft hat. Sie ist glücklich.

Am Ende ihres Buches, das ihren bisherigen Lebensweg beschreibt, fordert sie ihre Leser sehr sanft dazu auf, etwas Ähnliches wie sie zu versuchen.

»Das traue ich mich nicht«, sage ich ihr.

»Versuchen Sie es«, sagt sie. »Es geht. Gucken Sie mich an.«

Vor mir sitzt eine Frau, die leuchtende Augen hat. Die strahlt. Ausstrahlt. Auch das Glück, das es für sie bedeutet, wenn sie helfen kann.

Ich kaufe mich beinahe sofort frei. Mache einen Dauerauftrag bei meiner Bank, verpflichte mich zu monatlichen Spenden an ihre Organisation. Mehr geht nicht.

Ich bin auch ein (Zu viel-)Geber, um mich von anderen Pflichten freizusprechen.

Ich will die, denen es schlecht geht, nicht selbst treffen. Weder in Kalkutta noch in Köln-Höhenberg. Ich habe ein schier unerschöpfliches Reservoir an Mitleid. Ich könnte nicht, wie es manche Fernsehleute machen, als UNESCO-Botschafter irgendwohin gehen. Ich will nicht zwischen verhungernden afrikanischen Bürgerkriegskindern stehen, optimistisch gucken und mich dabei fotografieren lassen, damit in Deutschland mehr Spender geworben werden können. Ich helfe lieber ungesehen. Ohne Foto. Ich habe Patenkinder in verschiedenen Erdteilen, die ich monatlich unterstütze. Ein paarmal im Jahr kommen Bilder. Dann bin ich die unbekannte Tante im fernen Übersee, die ihre Patenkinder nur von Fotos kennt, aber anerkennend und stolz feststellt: Mensch, was seid ihr groß geworden. Mein chinesisches Patenkind habe ich bekommen, als es in den Kindergarten kam. Jetzt ist sie ein Teenager.

Der kleine Junge in Bolivien war von Geburt an mein Patenkind. Als er drei Jahre alt war, wurde er krank, die Eltern schafften es nicht mehr rechtzeitig ins Krankenhaus, er starb binnen weniger Tage an Hirnhautentzündung. Ich habe um ihn getrauert wie um einen lieben kleinen Freund. Sein Bruder war gerade mal zwei, als er wenig später mein neues Patenkind wurde.

Zu-viel-Geber wie ich sind auch ziemlich unverfrorene Heuchler. Nach der Devise: Wie schön, aber das wäre doch wirklich nicht nötig gewesen.

Jemand schenkt mir zu einem Festtag eine Vase. Dämliches Muster, potthässlich, liederlich mal eben so in eine Papiertüte gestopft. Eine Blumenvase. Überflüssig und ein Staubfänger, der jahrelang in einer der untersten Schubladen verrotten wird. Gern eine fröhliche Vase für jemanden, der leidenschaftlicher Vasensammler ist und das auch immer wieder kundtut. Der aber war und bin ich nicht.

Aber was tue ich? Ich ziehe das Monstrum vorsichtig aus der Papiertüte, mache ein hocherfreutes Gesicht, setze mein schönstes Lächeln auf, bedanke mich überschwänglich und schrecke nicht mal vor der oberpeinlichen Bemerkung zurück, dass ich mir eine solche Vase schon immer gewünscht habe.

Warum mache ich das?

Zu-viel-Geber wie ich sind übrigens Schlecht-Annehmer. Als ich einem Therapeuten von meinem Gebe-Impuls erzähle und wir versuchen, den Grund aufzuspüren, bewegt sich nicht viel. Ich kann nicht erklären, was mich bewegt, und erkläre diese Spende-Manie abschließend zur normalsten Sache der Welt.

Es macht mir Spaß, zu geben.

Wer zu viel hat, gebe dem, der weniger hat.

Schluss, aus. Mehr ist nicht dran.

Der Therapeut ist besser als ich.

Am Ende der Stunde erklärt er mir, dass er für diese sechzig Minuten kein Honorar möchte. Er schenkt mir die Stunde.

»Ich möchte Ihnen gerne etwas geben.«

Er macht nur Spaß, ist mein erster Impuls.

Nein, er meint es ernst. Ausgeschlossen, sage ich. Kann ich nicht annehmen, will ich nicht annehmen. Das geht nicht.

Warum es nicht gehe?

Keine Erklärung. Geht eben nicht.

Mir kommen die Tränen. Ich habe keine Ahnung, warum. Jemand will mir spontan etwas schenken.

Genau das, was ich auch so oft mache. Aber umgekehrt will ich es nicht zulassen.

»Das geht«, sagt er.

Es geht tatsächlich.

Die Zu-viel-Geberin hat etwas genommen. Und freut sich noch Tage später darüber.

19

Love Tank. Hört sich so an, als gehöre das Ding zur Grundausstattung einer Barbiepuppe, die mit ihrem Ken eine gemeinsame Zukunft plant.

Nicht ganz, aber fast. Love Tank war der rührend kitschige Name einer kleinen amerikanischen Talkshow, ein Pilotprojekt, das in den 1990er-Jahren irgendwo zwischen Kinderprogramm und einer Krankenhausserie versteckt wurde und nur ein paar Folgen überdauerte. Eine Art kleiner Eheberater für Paare, die sich gegenseitig ihr Leid klagten und meist erfolglos versuchten, zerschlagenes Porzellan zu kitten.

Love Tank: Solange sich beide lieben, sprudelt beständig rosa Wasser aus diesem Tank, er ist randvoll. Die Frau hat einen. Der Mann ebenfalls. Aber das Leben ist nicht ständig rosa, was also, wenn der Love Tank Niedrigwasser anzeigt?

Wie füllt man ihn am besten auf?

Im übertragenen Sinne: Wie streichelt man die Seele des anderen? Was kann man tun, damit er sich freut? Was ist für ihn wichtig, um sich gut zu fühlen? Was macht ihn glücklich?

Dazu gab es in der Show fünf Karten mit fünf Begriffen.

Die optimale Reihenfolge konnte jeder Teilnehmer für sich festlegen. Was steht an eins, was ist besonders wichtig, um meinen Love Tank wieder aufzufüllen. Was brauche ich am wenigsten?

Begriff 1: Wertschätzung
Der andere sagt mir, was er an mir sehr schätzt.
Was mich besonders, einmalig, großartig, liebenswert macht.

Begriff 2: Zeit
Zuhören. Da sein. Zeit haben. Ohne Limit.

Begriff 3: Service
Kann vieles sein. An kalten Abenden eine Wärmflasche ins Bett legen. Oder eine Flasche Champagner ins Kühlfach.
Kleine Gesten, die zeigen, dass man bereit ist, etwas für den anderen zu tun.

Begriff 4: Geschenke
Aller Art. Von der Kinokarte bis zum Kurztrip nach Disneyland.

Begriff 5: Berührung
Sex, ja auch, aber nicht nur. Und nicht unbedingt. Vielleicht nur halten, sanft über den Kopf streicheln, Füße massieren.

Legte ich mir die Karten, stünde an eins die Wertschätzung.

Ich kann gar nicht genug davon bekommen. Bin wie ein Schwamm, sauge Lob und Anerkennung begierig auf. Und wachse. Fühle mich größer, besser, mutiger, übermütig sogar. Wertschätzung, die auch von mir völlig fremden Menschen kommen kann. Mein Name ist neulich im Internet bei Schüler-VZ aufgetaucht.

Die Mädchen dort waren zwischen 15 und 17, ich könnte gut ihre Oma sein. Und sie gründen eine Gruppe mit dem Namen: Wenn ich groß bin, möchte ich so werden wie Christine Westermann. Ich bin mir nicht wirklich sicher, was sie glauben, wie es sich anfühlt, so zu sein wie ich, aber mein Love Tank hatte sofort Oberwasser. Wertschätzung bei mir also an eins, gefolgt von Berührung, Zeit, Service. Und weit abgeschlagen an letzter Stelle: Geschenke.

Beinahe selbstverständlich gehe ich davon aus, dass den Menschen, die mir in meinem Leben sehr nahestehen, Wertschätzung auch das Wichtigste ist.

Genau an dieser Stelle wurde es regelmäßig spannend in der kleinen Fernsehshow. Verglichen die Paare die Reihenfolge ihrer Karten mit der ihres Partners, waren sie meist sehr erstaunt. Wie unterschiedlich Bedürfnisse sein können. Wie falsch man liegt mit seiner Einschätzung. Wie sehr man sich im anderen geirrt hat.

Wie viele emotionale Missverständnisse gibt es im Zusammenleben, weil man sehr selbstverständlich von der eigenen Sehnsucht, den eigenen Wünschen und Bedürfnissen ausgeht?

Das Missverständnis ist die Regel lautet eine kluge Erkenntnis der Kommunikationswissenschaft. Wenn Menschen miteinander kommunizieren, ist die Wahrscheinlichkeit groß, dass sie aneinander vorbeireden, sich nicht wirklich verstehen. Auch wenn sie vom Gegenteil ausgehen. Wir tun so, als könnten wir nicht falsch verstanden werden. Ein Irrtum, den zum Beispiel Flugzeugpiloten routinemäßig ausschließen, weil es sonst zu tödlichen Missverständnissen kommt.

Wenn ein Flugkapitän die Richtung ändern will, muss sein Kopilot das erst mal bestätigen. Nicht mit einem simplen Okay. Mit dem vollen Wortlaut.

Hast Du das verstanden?

Damit ein Missverständnis wirklich ausgeschlossen werden kann, müsste man vielleicht besser fragen:

WAS hast Du verstanden?

20

Darf ich das?
Heimlich erleichtert sein, dass ich keine Eltern mehr habe? Erleichtert, weil der große Schmerz, die Trauer ob des Verlustes schon ausgestanden sind?

Erleichtert, dass ich mich nicht mehr sorgen muss?

Mich nie sorgen musste, weil beide so schnell und unerwartet starben, dass keine Zeit blieb, mir über Patientenverfügungen, Krankenhäuser, Pflegeheime Gedanken zu machen. Es ist mir erspart geblieben, als Erwachsener meine Eltern wie Kinder zu erleben, unselbstständige Wesen, die auf meine Hilfe angewiesen waren.

Der Tod von Mutter und Vater hat mich mit Wucht getroffen, es blieb kaum Zeit, sich darauf vorzubereiten. Bei meinem Vater noch weniger als bei meiner Mutter.

Was mich bis heute traurig macht: Wir hatten keine Zeit mehr, das gemeinsame Leben noch einmal vorbeiziehen zu lassen. Keine Chance, über jenes Leben zu sprechen, das es schon gab, als an mich noch nicht zu denken war. Ich hatte nie Gelegenheit, meiner Mutter jene Fragen zu stellen, die mich heute sachte umtreiben. Wann hast Du das Altwerden zum ersten Mal deutlich gemerkt? Hat es Dich traurig gemacht? Und wenn ja, warum? Wie sehr musstest Du Dich anstrengen, es zu ignorieren, bevor Du es akzeptiert hast?

Welcher Geburtstag war der schwierige? Der Fünfzigste? Der Sechzigste?

Wonach hast Du Dich in diesem Alter gesehnt?

Wo wolltest Du noch hin mit Deinem Leben?

Was hättest Du mir vom Alter unbedingt erzählen wollen?

Was war gut, was hat Dich überrascht?

Was hat Dir Angst gemacht?

Das Leben oder der Tod?

Wie hast Du Dich gefühlt, als Du älter wurdest?

Ziemlich tot, würde meine Mutter mit der ihr eigenen scharfen Ironie antworten.

Sie wurde gerade mal 64 Jahre alt.

Sie war nicht ganz gesund, sechzig Zigaretten am Tag, und das seit Teenagerzeiten. Der Körper hat es ihr irgendwann heimgezahlt. Wenn wir, ihre Kinder, heute von den letzten Wochen ihres Lebens erzählen, dann können wir auch lachen. Andere Menschen atmen tief ein, wenn sie draußen in der Natur sind, in der frischen Luft, im Wald. Mit Tannennadelaroma hätten wir unserer Mutter keine Freude gemacht.

Für meine Mutter war es ganz offensichtlich eine Erholung, wenn sie in einem jener verglasten Raucherkästen saß, die es damals noch in Krankenhäusern gab. Mitten im dichten Qualm der Mitpatienten steckte sie sich eine Kippe nach der anderen an, dann war sie völlig entspannt, fast glücklich. Der dröhnende, schlimme Husten wurde weniger. Leider nur so lange, bis sie wieder an die frische Luft kam. Die hat sie am Ende ihres Lebens nicht mehr so gut vertragen.

Ich wünschte, ich könnte meiner Mutter noch einmal begegnen. Max Frisch hat in einem seiner Tagebücher eine großartige Frage gestellt: Wenn Sie einem Verstorbenen noch mal begegnen könnten: Möchten Sie, dass er zu Ihnen spricht? Oder möchten Sie ihm lieber etwas sagen?

Ich würde sie reden lassen, sie muss wissen, was mich jetzt umtreibt, sie erinnert sich sicher, wie es war, alt zu werden, auch wenn sie nicht alt geworden ist. 64 ist nicht alt.

Ich erinnere mich gut an den fünfzigsten Geburtstag meiner Mutter. Ich war Mitte zwanzig, fünfzig war weit weg. Dass dieser Geburtstag für sie ein Einschnitt sein könnte, habe ich nicht gewusst, nicht einmal geahnt. Ich wollte besonders smart und witzig sein, hatte in einem Dekorationsgeschäft goldene Lorbeerkränzchen aus Pappmaschee besorgt, in deren Mitte eine stolze Fünfzig thronte. Hätte ich eines von ihnen in die Geburtstagsblumen gesteckt, wäre es vielleicht noch ganz komisch gewesen. Das war mir nicht genug. Ich hatte zwei Dutzend gekauft, habe sie überall im Haus versteckt. Zwischen ihren Kleidern, in ihrem Schreibtisch, bei den Putzsachen, unterm Bett, hinten im Kohlenkeller, in der Gießkanne für den Garten. Monate später, als sie die Sommersachen vom Speicher holte, hat sie noch die goldene Fünfzig gefunden. Es hat sie nicht amüsiert, fürchte ich. Es hat sie traurig gemacht.

Was wäre, könnte ich meinem Vater noch einmal begegnen? Mehr als fünf Jahrzehnte nach seinem Tod habe ich einen immer wiederkehrenden Traum: Nicht er hat mich, ich habe ihn verlassen. Er meldet sich von weit her, bittet mich, ihn zu besuchen, ihn anzurufen, eine Karte zu schreiben, die abgebrochene Verbindung wieder aufzunehmen. Nach all den Jahren sei es jetzt an der Zeit. Eine absurde Verdrehung der Wirklichkeit. Ein Traum eben. Aber einer, der über Tage in meinem Kopf, in meinem System hängen bleibt. Vielleicht, weil die Möglichkeit, dass er tatsächlich noch irgendwo auf mich warten könnte, so ungemein verheißungsvoll ist?

Ich wünschte, er könnte mir sagen, was ihn bewegt hat, als er älter wurde. Was hat sein Leben bestimmt? Wer hat es beeinflusst? Wer war im Leben meines Vaters der Mittelpunkt, der Fixstern, bevor ich es wurde. Wie war er als junger Mann? Wenn er verliebt war? Wie hält man Krieg aus, Gefängnis, den Verlust eines Kindes, das in den ersten Tagen des Zweiten Weltkrieges erschossen wird?

Als ich geboren wurde, hatte mein Vater nicht mehr allzu viel Leben vor sich. Er war sechzig Jahre alt, als ich zur Welt kam. Dass ihm nur noch dreizehn Jahre bleiben würden, um dieses Kind mit genügend seelischem Proviant für den Lebensweg auszustatten, konnte er damals nicht wissen. Aber er wird es geahnt, befürchtet, vielleicht sogar erwartet haben. Finanziell konnte er sein Kind mit allem versorgen, für alles andere musste er hoffen und wünschen. Gibt ein Vater, der sechzig ist, seinem Kind andere Dinge mit auf den Weg, als es ein Dreißigjähriger tut? Wie wäre mein Leben verlaufen, hätte ich ihn beständig um Rat fragen können? Wie viel mehr an sicherer Gewissheit, dass ich, so wie ich bin, gut bin, hätte er mir mitgeben können?

Worüber hätten wir uns gestritten, wann hätte ich aufbegehrt?

Wäre ich eine Lehrerin geworden, so wie er es sich für mich gewünscht hatte? Lehrer wäre er selbst so gern geworden, aber dann starben kurz hintereinander Vater und Mutter. Sechs kleine Kinder waren ohne Eltern und ohne Erbe. Kein Geld übrig, um eine gescheite Schulausbildung zu machen, erst viele Jahre später wurde er Beamter, wusste die, die ihm nah waren, gut versorgt. Das war ihm ungemein wichtig.

Ich habe meinen Vater als einen Menschen erlebt, der großzügig und voller Nachsicht war. Nicht nur mit seiner Tochter. Ich gestehe mir allerdings auch ein, dass im Laufe der Jahrzehnte der Sockel, auf den ich das Denkmal meines Vaters gestellt habe, eher größer als kleiner wurde.

Mit einem Denkmal hat man keine grundlegende Auseinandersetzung, jedenfalls keine, an die man sich viele Jahre später noch erinnert. Ich kann mich an keinen Streit mit meinem Vater erinnern. Die Jahre meiner Pubertät, der möglichen Rebellion haben wir nicht mehr gemeinsam erlebt. Mir ist allerdings im Gedächtnis geblieben, wie ich ihn einmal belogen habe. Und obwohl der Anlass aus heutiger Sicht unbedeutend, beinahe lächerlich war, habe ich ihn nie vergessen. Ein bisschen Scham ist immer noch dabei.

Es war wenige Monate vor seinem Tod, ich war zwölf Jahre alt und fand mich nicht wirklich schön, um es mal vorsichtig zu sagen. Was, wie ich damals vermutete, zum großen Teil an meinen Haaren lag. Schnittlauchhaare, an denen sich nichts wellen, nichts kräuseln wollte. Sie hingen glatt runter, öde, komplett langweilig, wie ich fand. Manchmal hielt sie auch noch ein Klämmerchen in Schach. Bei der Planung eines zweitägigen Konfirmandenausfluges mit Übernachtung in einer Jugendherberge war ich schon Wochen vorher überzeugt, dass meine Chancen angesichts meines herben Pagenkopfes bei den mitreisenden Jungs äußerst gering sein würden. Ich sollte recht behalten.

Die meisten der anderen Mädchen waren eindeutig natürliche Schönheiten mit ihren langen gewellten Haaren, und was sich nicht wellen wollte, wurde mit Ummengen an Haarspray dazu genötigt. Das Privileg, Haarspray zu benutzen, stand in unserem Hause nur meiner Mutter zu. Benutzung durch andere, womöglich Minderjährige, war strengstens untersagt.

Wie nicht anders zu erwarten oder besser wie ich es mir schon in den schwärzesten Farben ausgemalt hatte, schüttete es bei der insgeheim doch so herbeigesehnten Nachtwanderung wie aus Eimern. Meine mühsam hochtoupierte und damit Volumen vortäuschende Haarpracht klebte mir nach wenigen Minuten wie drei Tage alte Zuckerwatte am Kopf. Die anderen Mädchen sahen mit ihren jetzt tatsächlich original wassergewellten Haaren aus wie direkt dem Bravo-Starschnitt entsprungen. Schon bei der dumpfen Erinnerung an diese Wanderung kriecht in mir wieder dieses merkwürdige Gefühl von damals nach oben. Das Gefühl der kompletten optischen Unzulänglichkeit, das mich auch heute noch hin und wieder rücksichtslos überfällt, manchmal auch in Fernsehsendungen.

Zurück von diesem Desaster stand für mich fest, es muss sich was ändern, ich will eine Dauerwelle.

Für eine Zwölfjährige damals ein unerhörtes Ansinnen. Weil unerhört teuer. Und unerhört sinnlos. Denn der Name ist leider nicht Programm. Eine vom Friseur fabrizierte Dauerwelle dauert eben nicht, jedenfalls nicht länger als drei Monate. Ab dann ist nichts mehr von ihr zu sehen. Wo mal Wellen waren, triumphiert wieder der Schnittlauch. Je nachdem, welchem Friseur man Anfang der Sechzigerjahre in die Hände fiel, variierte eine Frisur mit Dauerwelle zwischen total verwegen, altbacken oder völlig daneben. Wenn man Glück hatte, konnte der Coiffeur mit den Chemikalien umgehen. Hatte man Pech, und ich hatte Pech, verätzte einem das Wasserstoffperoxid die Kopfhaut und hinterließ pfenniggroßes Ödland, auf dem auch fünfzig Jahre später nichts mehr wächst. Nicht mal Schnittlauch.

Meinen Vater konnte ich leicht um den Finger wickeln. Dauerwelle war für ihn lediglich eine neue Frisur, er hatte keine Ahnung, worauf ich mich einließ. Ich klärte ihn nicht auf, was ich vor allem hinterher ziemlich schäbig fand. Er übrigens auch. Meine Mutter wurde bei der Beratung nicht hinzugezogen, meine Eltern waren geschieden, der Kontakt bezog sich auf Besuchstage und Schulprobleme, nicht auf Friseurbesuche. Eine der wenigen Situationen im Leben eines Scheidungskindes, bei der die Trennung der Eltern auch mal was Positives zu haben schien.

Ich erspare mir Details, was eine Dauerwelle und ein schlechter Friseur aus einem zwölfjährigen Mädchen machen können. Zusammenfassend könnte man sagen: Ich sah aus wie eine frühreife Stenotypistin. Mein Vater, der mir zwar zögernd, aber dennoch vertrauensvoll so viel Geld für einen Friseurbesuch gegeben hatte, war ehrlich entsetzt. Und traurig. Ich hatte ihm nicht gesagt, was eine Dauerwelle ist und was passieren kann, wenn sie schiefgeht. Ich versuchte zu verteidigen, wo es nichts mehr zu verteidigen gab. Ich habe mich noch lange dafür geschämt, das Vertrauen meines Vaters so ausgenutzt zu haben.

21

Es ist ein Umbruch, und deshalb soll es auch so heißen. Das Buch, das ich jetzt schreibe, soll diesen herben, strengen, fordernden Titel bekommen: »UMBRUCH«. Buchstabentechnisch ist das ziemlich nah am UNTERGANG, aber die alphabetische Nähe wird von mir tapfer ignoriert.

Wenn ein Buch schon »UMBRUCH« heißt, dann muss die Autorin auch so aussehen. Ernst, bewegt, zweifelnd und auf keinen Fall optimistisch. Es wird zum Umbruch kommen. Es ist unvermeidlich, wenn man 65 ist.

»Mir ist nicht wirklich nach Lachen zumute«, sage ich folgerichtig der Fotografin. Es muss ein ernstes Foto werden, bitte keine fröhliche Westermann.

Wird es am Ende tatsächlich ein ernstes Buch?

Vor gut einem Jahr habe ich mit dem Schreiben begonnen, eine Frau am Strand eines Ozeans mit einem trüben Blick auf die Zukunft. Was hat sich verändert? Fühlt es sich noch so matt und beschwerlich an? Hin und wieder spüre ich eine galoppierende Leere, eine Unruhe, die mich nach vorn treibt.

Es gibt in diesen Monaten eine merkwürdige Mischung aus Wehmut und unbestimmter Vorfreude, die mich oft weinen lässt. Als säße die Seele am Gefühlshahn, drehte auf und zu, um zu gucken, was mich wohl zum Weinen bringen könnte. Kinder, die der Länge nach hinschlagen, ein Foto, das eine Erinnerung nach oben spült, Musik, bei der ich unter Tränen fröhlich und laut mitsinge. Mal gucken, was geht. Manchmal ist es die große Hilflosigkeit mit mir selbst, manchmal unbändiger Lebensübermut. Wenn man sich häutet, ist die neue Haut dünn, empfindlich, empfänglich. Eine Veränderung ist auch eine Häutung. Schöner Gedanke.

Das Buch ist noch nicht zu Ende geschrieben, nichts ist abgeschlossen, die Fotos für das Umschlagbild aber werden Monate vorher gemacht.

Der Umbruch: Schroff, sperrig ist die Anmutung des Titels, eine Art Kriegserklärung an mich selbst. Aber er ist doch auch stimmig, er ist doch schon in vollem Gange, der Umbau, oder? Das Leben verändert sich mit den Jahren, ich muss dem Rechnung tragen, anpacken, die Dinge anders handhaben als mit 55.

Muss ich? Kann ich mich nicht sanft tragen lassen, die schwermütigen Gedanken ins Leere laufen lassen? Ich lerne vorsichtig, hin und wieder einzelne Augenblicke festzuhalten. Innezuhalten. Warum will ich dieses Jahrbuch, das ich gerade führe, unbedingt »Umbruch« nennen? Gut, die Statik meines Lebens wird gerade neu berechnet, ich muss an mir arbeiten. Muss ich? Arbeiten? Das heißt auch immer, mit mir ringen, mir etwas abringen. Was eigentlich? Eine neue Erkenntnis? Eine andere Einstellung? Dinge über Bord werfen, die nicht mehr zur 65 passen? Was passt nicht mehr dazu? Wer bestimmt denn, was nicht mehr passt? Ich? Oder die anderen? Und wer sind die anderen, die für eine öffentliche Meinung zur 65 sorgen? Und wie viele der Fünfundsechzigjährigen finden sich da wieder?

Ich will nicht an mir arbeiten. Ich will lieber sachte mit mir umgehen.

Der Umbruch. Vielleicht ist er gar nicht mein Ding. Und die Ernsthaftigkeit vielleicht auch nicht.

Beim Fotografieren lässt sie sich jedenfalls nicht mehr länger halten. Ich lächle so heftig, dass die Augen zu kleinen Schlitzen mutieren. Nach ein paar Dutzend Probeaufnahmen stellen wir fest, dass sie auch bei komplett strengem Gesicht ihre asiatische Form nicht aufgeben wollen. Klarer Fall, es liegt an der Schminke, an der Maske. Die Form und Farbe des aufgetragenen Lidschattens machen eine Geisha aus mir. Die Maskenbildnerin schminkt neu, allmählich bekommen die Augen wieder eine europäische Form, mein Gesicht sieht wieder nach mir aus. Die Maskenbildnerin ist leicht aus dem Häuschen, will es besonders gut machen, streicht mit dem Pinsel gefühlte fünfhundertmal um meine Augen herum. Ich merke, wie ich verspanne, will den Kopf wegdrehen, so wie früher als Kind, wenn meine Mutter sich mit ihrem Taschentuch näherte, um mir die Schokoladenschmiere am Mund abzuwischen. Mit *ihrer* Spucke, nicht mit *meiner,* das versteht sich ja von selbst.

Ich bin ungeduldig, unruhig, und meine Augen protestieren. Sie tränen, schmerzen, es geht erst mal nichts mehr. Gänzlich unerwartet steigt stiller Zorn in mir auf, der nicht weiß, welches Ziel er sich suchen soll.

Die Maskenbildnerin tut doch nur ihr Bestes.

»Ganz ruhig«, sagt die Fotografin, die in meinem Gesicht liest.

»Das kriegen wir hin.«

Kriegen wir auch. Nach mehreren tiefen Atemzügen und ein paar Tränen, die sich auch leicht den gereizten

Augen zuordnen lassen, lasse ich wieder an mir herumhantieren.

Zwanzig Minuten später sehe ich so aus, wie ich mich mag. Obenrum jedenfalls. Jetzt müssen wir uns anderen Körperteilen zuwenden. Die weiße Bluse spannt, sobald ich die Arme lässig verschränken soll. Wenn ich sie also bewege, die Arme, verrutscht das ganze Arrangement. Der Kragen hängt schief, und die Knopfleiste macht sich selbstständig in Richtungen, wo sie nicht hingehört.

Die Stylistin zieht die Bluse geduldig immer wieder nach unten und die Maskenbildnerin ist unentwegt damit beschäftigt, meine Haare so zu verwuscheln, dass es schön natürlich aussieht. Das gelingt nur bedingt. Zunächst sehe ich aus wie ein in die Jahre gekommener Vamp, dem die Haare ohne Plan vom Kopf abstehen. Es dauert eine Stunde, bis alle zufrieden sind.

Die Frau, die die Fotos macht.

Die Frau, die an der Bluse zieht.

Die Frau, die wie Kai aus der Kiste unvermutet ins Bild hüpft, weil ein Haar es sich wieder anders überlegt hat und zurück ins Glied muss.

Und die vierte Frau, die an Umbruch denkt und ein sehr seriöses Gesicht machen will. Was gründlich misslingt. Ich lache über das Durcheinander, die lästige Bluse, die Haare, die Millimeterarbeit beim Fotografieren.

»Geh noch einen kleinen Tick nach links, nein, zu viel, wieder nach rechts. Ja, so ist gut. Und jetzt den Arm eine Idee höher, und die Schulter ein kleines Stück zurück. Noch ein bisschen, ja, so. Den Kopf nicht so hoch, nein, tiefer. Ja. Bleib so.«

»Halt«, schreit die Maske und hüpft wieder ins Bild, das Gesamtkunstwerk ist hin.

Nach fünf Stunden haben wir zweihundert Fotos gemacht. Ich sehe eine strahlende, fröhliche Frau, die 65 ist. So richtig nach Umbruch sieht keines der Fotos aus.

Wir werden das Buch wohl anders nennen müssen.

22

Schönen guten Abend, meine Damen und Herren!
Christine Westermann brauche ich Ihnen wohl nicht vorzustellen. Und was Sie von ihr noch nicht wissen, das werden Sie im Laufe unseres Gesprächs hoffentlich erfahren.
Mein Name ist Hilmar Hambrecht, Radio- und Fernsehmann seit vielen Jahren. Das verbindet mich mit Christine Westermann.
Kennengelernt haben wir uns über ein gemeinsames Projekt, das ich als Redakteur verantwortet habe, Christine Westermann war damals Moderatorin. Und seitdem duzen wir uns auch – und wir sehen überhaupt nicht ein, wieso wir das auf dieser Bühne nicht tun sollten.

Herzlich willkommen, liebe Christine!
Wer ist Christine Westermann?

Ehrlich gesagt, wüsste ich das manchmal auch ganz gern.

Kommt sehr spontan, meine Antwort. Hatte nicht mal vor, es gleich zu Beginn so kurz und bündig zu halten. Aber die Antwort wird den paar hundert Frauen, die jetzt vor mir sitzen, sicher nicht genügen. Sie wollen mehr wissen, von mir, aus meinem Leben. Es sind Frauen aus allen möglichen Berufen. Position: mindestens gehoben, vielleicht sogar höher. Businessfrauen nennen sie sich, sie haben mich eingeladen, weil ich einen starken Eindruck bei ihnen hinterlassen habe. Für sie bin ich eine Frau, die das erreicht hat, was die meisten von ihnen noch anstreben. Eine Karriere, die ganz nach oben führt.

»Sie werden doch sicher von vielen Leuten erkannt, oder?«, raunt mir eine der Damen zu, bevor ich mich auf die Bühne setze. Wenn Erkanntwerden ein Zeichen für eine beachtenswerte Karriere ist, dann bin ich wohl ziemlich weit oben angekommen. Wenn sich die Taschendurchleuchter am Flughafen bei meinem Anblick gegenseitig anschubsen, freundlich grüßen und nach kurzer Überlegung auch gleich mit dem Namen jener Sendung bei der Hand sind, in der sie die prominente Kundschaft zuletzt gesehen haben.

»›Fenster auf‹ machen Sie doch, oder? Finde ich gut, weiter so.«

Wie das mit der Karriere geht, wollen die Businessfrauen wissen. Was man tun muss, was man besser lässt, wo man anecken kann, wie viele Niederlagen es einzustecken gilt, wann es sich zu kämpfen lohnt. Was sie lernen können. Von einer starken Frau wie mir. Starke Frauen in den Medien, das ist der Titel, den sie ihrer Veranstaltung gegeben haben. Ich bin sehr entschlossen, ihnen nicht den Mut zu nehmen. Was ich täte, würde ich ihnen erzählen, dass Karriere in dem von mir geplanten Leben nicht vorgesehen war. Ich liebe meinen Beruf, wollte nie einen anderen haben. Aber mit achtzehn bedeutete die Arbeit bei der Zeitung für mich vor allem eins: das Tor zur Welt. Zu Hause ausziehen, genug Geld verdienen, reisen, viel sehen. Dass mich meine berufliche Passion mal zum Radio und ins Fernsehen bringen könnte, daran habe ich nicht einen einzigen Gedanken verschwendet. Das Volontariat bei der Münchner Journalistenschule hat mich zum Fernsehen geführt, zur »Drehscheibe« des ZDF, es hat sich so ergeben, schön gefügt, ich freue mich darüber. Karriereplanung sieht anders aus.

Ich hatte keinen Plan, kein Ziel. Damals, vor mehr als vierzig Jahren, habe ich das gemacht, was mir heute eher schwerfällt. Ich habe den Tag gelebt, den Augenblick festgehalten. Und war guten Mutes, nie ängstlich.

Und jetzt sitze ich hier als starke Frau. Mit einem Freund und Kollegen, der die Moderation übernommen hat. Ich bin gespannt, was passiert. Was er wissen will, ob wir uns die Bälle zuwerfen werden. Ich mag es, in Talkshows zu sitzen. Als Gast. Wenn ich mal nicht die Fragen stellen muss und stattdessen beobachten kann, wie andere mit ihrem Handwerkskasten umgehen, sich ihrem Interviewpartner nähern. Es macht mir immer noch und immer wieder Spaß, mir bei denen etwas abzugucken, die es auch gut können. Ich bin neugierig, was einem Mann zu einer starken Frau einfallen wird.

Siehst Du Dich selbst als starke Frau?

Kommt auf meine Tagesform an, will ich spontan sagen. Suboptimale Antwort. Aus eigener Talkshowerfahrung weiß ich, dass die Antwort nicht wie aus der Pistole geschossen kommen muss. Aber auch wenn ich sichtbar zögere, mehr als das mit der Tagesform fällt mir nicht ein. Meine aktuelle Tagesform ist gerade so lala.

Ich fühle mich zwar geschmeichelt, als starke Frau eingeladen zu sein, aber wenn ich all die dezent geschminkten Frauen beobachte, fein gestylt mit Ohrstecker und Pashmina-Schal, wer weiß, was sie mit ihrer sehr präsenten Art schon alles erreicht haben, vielleicht sollten wir die Plätze tauschen. Sieh da, der gute alte Bekannte ist auch mitgekommen, der mir sein vertrautes »Du bist nicht gut genug« ins Ohr flötet. Unsichtbar für alle anderen, fast körperlich spürbar für mich.

Ich rede ihm und mir gut zu. Guck doch mal, das muss man auch erst mal können, hier oben zu sitzen, sehr gelassen, keine Spur von Nervosität, kein Lampenfieber, ich bin völlig entspannt, wie im Fernsehen. Ist doch auch ein Zeichen von Stärke, oder nicht?

»Ich bitte Dich«, säuselt er mich von der Seite an, »das kann man ja wohl nach vierzig Jahren Fernsehen von Dir auch erwarten, oder? Nach so langer Zeit kann das jeder.« Vermutlich hat er recht.

Also, was sage ich jetzt? Bin ich eine starke Frau?

Das kommt ganz auf meine Tagesform an. Jetzt gerade fühle ich mich wohl, freue mich, hier zu sein, bin gespannt auf diesen Abend. Und empfinde es als großes Kompliment, als Lob, mich dank Ihrer Einladung in der Kategorie »Starke Frauen« wiederzufinden.

Was ist denn jetzt passiert, wo kommt das Süßholz her, das ich gerade raspele? Höflichkeit kann nicht schaden, aber eine Antwort auf die Frage ist das nicht.

Wie würdest Du Deine Position in der deutschen Medienlandschaft beschreiben?

Habe ich eine Position? Wo stehe ich? Eher am Rande, in der Mitte, allmählich am Ende? Habe ich mir schon jemals über meine Position Gedanken gemacht? Wäre ich ein Fußballspieler, könnte ich mich leichter einordnen, in die Fußballlandschaft. Bei einem guten Spieler zählt die Liga, in der er spielt, und wie oft er aufgestellt wurde.

Meiner Schätzung nach wurde ich mehr als zwanzigtausendmal aufgestellt, vor einer Kamera respektive vor einem Mikrofon. Und in meiner bereits Jahrzehnte währenden Spielzeit hat man mich insgesamt dreimal ganz aus der Mannschaft genommen. Rausgeworfen. Ich musste den Verein wechseln. Leider hat der jeweilige Trainer das ohne Vorwarnung gemacht, ohne ein klärendes Gespräch. Ich habe es erst aus dem Dienstplan erfahren, in dem ich nicht mehr auftauchte.

Was machen gute Fußballspieler nach solch einem bösen Foul? Aufstehen und beherzt weiterspielen. Bei mehr als zwanzigtausend Spielen in mehr als vierzig Jahren erklären einen die Sportjournalisten schnell zur Legende. Oder zum Urgestein. Was noch schlimmer wäre. Ein Urgestein kommt verwittert daher und Legenden sind meist schon tot. Oder kurz davor.

Meine Position in der Medienlandschaft? Ehrlich gesagt, keine Ahnung. Habe ich mir noch nie Gedanken drum gemacht. Ist mir nicht so wichtig, wo ich stehe. Es kommt doch darauf an, was man dort, wo man steht, macht. Ich bemühe mich, es gut zu machen.

Hab ich das jetzt wirklich gesagt?

Boah, das ist ja noch wirrer dahergefaselt als das, was der gemeine Politiker so an Worthülsen fallen lässt. Wäre ich jetzt Moderator, würde ich eine Menge unternehmen, um diese Frau zu einer klaren, einer wahrhaftigen, persönlichen Antwort zu nötigen. Abwarten, der Abend hat ja gerade erst angefangen.

Müssen Frauen in den Medien besonders stark sein? Stärker als Männer?

Stark? Was heißt das? Für einen Mann möglicherweise etwas völlig anderes als für eine Frau. Dieselbe Eigenschaft wird bei Männern und Frauen noch immer unterschiedlich beurteilt. Wenn sie Dinge tun oder sagen, die den anderen gegen den Strich gehen, gelten Frauen als zickig. Hat schon mal jemand von einem zickigen Mann gehört? Für Männer gibt es nicht mal ein vergleichbares Wort. Einen Mann mit Durchsetzungskraft würde man höchstens, und das auch schon halb anerkennend, ehrgeizig nennen, oder?

Eine Frau ist emotional. Und ein Mann? Der ist sensibel. Ein Wort, das ihn sofort vom Makel des überbordenden Gefühls befreit. Sensibel. Da besteht Hoffnung, dass der Verstand noch mitmacht. Bei emotional spricht nur das Herz.

Könnte ich jetzt sagen, aber ich rette mich lieber in Belanglosigkeit.

Wenn Stärke bedeutet, eine klare Meinung zu vertreten, entschlossen und entschieden zu sein, dann sind Frauen den Männern sicher ebenbürtig. Wenn Stärke allerdings meint, Emotionen zu verstecken, tough zu sein, obwohl die Nerven blank liegen, haben Frauen die schlechteren Karten. Manchmal brauchen sie ihre Kraft vor allem dazu, Gefühle nicht offenzulegen. Wer offen zeigt, wie er sich fühlt, gilt als schwach.

Na ja, nicht gerade das Gelbe vom Ei. Wäre ich an der Stelle des Moderators, würde ich nachhaken, wissen wollen, warum die starke Frau das glaubt.

Die Frau würde ihm dann von einer Sendung erzählen, die sie mal bei einem Sender für das Sommerprogramm gemacht hat. Im Sommer traut sich das Fernsehen was, da werden Piloten produziert, Sendungen, bei denen man, theoretisch, erst mal was ausprobieren darf. Praktisch entscheidet am Ende aber doch die Quote.

Bei der Sendung saßen fünf Leute um einen Tisch. Worüber man miteinander reden würde, war noch nicht klar. Das stand auf zwölf Karten, die verdeckt auf dem Tisch lagen. Jeweils zwei passten zusammen, genau wie bei Memory, die Gäste deckten nacheinander auf, wer das erste Paar gleichlautender Begriffe fand, hatte damit das Thema der Sendung bestimmt. Nur das und kein anderes.

Sendelänge fünfundvierzig Minuten.

Fünfundvierzig Minuten nur über die Lüge reden, zum Beispiel. Oder die Leidenschaft. Den Reichtum. Den Zweifel. Stolz. Nähe. Sinnlichkeit. Himmel. Sünde. Mut. Mitleid.

Es war eine unglaubliche Spannung in jenen sechs Sendungen. Jeder der prominenten Gäste hat sich geöffnet, viel preisgegeben, konnte sich dem Sog der Gespräche nicht entziehen. Wollte es auch nicht.

Kein Film wurde beworben, keine neue CD, kein neuer Roman hochgehalten. Es ging ums Leben, um das eigene und um das der anderen. Fünf Menschen saßen um einen Küchentisch, haben von sich erzählt, von ihren Stärken, ihren Schwächen. Keiner hat sich seiner Gefühle geschämt. Es war fröhlich, auch laut, hin und wieder unerwartet still. Sie haben bei manchen Antworten gezögert, die prominenten Gäste, blieben ganz stumm, haben sicher auch geschwindelt. Aber allen war anzumerken, dass sie das Fernsehen, die Kameras vergessen hatten. Ganz bei sich waren.

Als die Frage anstand, ob die Sendung über den Sommer hinaus weitergehen soll, haben sechs Männer aus den oberen Etagen des Senders entschieden. Ich hätte mir gewünscht, dass in dem Gremium auch Frauen eine Meinung und eine Stimme hätten haben dürfen. Halbe-halbe, drei Männer, drei Frauen. Ich glaube, die Sendung hätte eine veritable Chance auf Fortsetzung gehabt. Kann man als Spekulation abtun, als stille Hoffnung. Aber einen Versuch wäre es wert gewesen.

Das könnte ich als Beispiel für unterschiedliche Stärken bei Medienmännern und Medienfrauen nennen. Ich sage lieber nichts. Oder besser was Unverfängliches. Rette mich in Weisheiten von vorgestern:

Für mich gilt immer noch der Satz, der mich in den Siebzigerjahren so beeindruckt hat, als die Frauen anfingen, ungestüm, weil noch ungeübt, Stärke zu zeigen: Eine Frau muss doppelt so gut sein wie ein Mann, um die Hälfte der Anerkennung zu bekommen.

Hast Du ein Erfolgsrezept?

Nein. Wenn ich eines hätte, würde mir kein Interview, keine Sendung mehr danebengehen. Ich bin davon überzeugt, dass das Gelingen einer Sendung von der Chemie zwischen den Menschen, die daran beteiligt sind, abhängt. Es ist wie im richtigen Leben. Manchmal stimmt die Chemie und man hat bei wildfremden Menschen das Gefühl, das ist der Beginn einer wunderbaren Freundschaft. Dann wird es Grimme-Preis-verdächtig.
Zweite Variante: Es geht ganz gut. Man kommt miteinander klar, aber näher kommt man einander nicht. Auch in Ordnung.
Die Variante drei ist eine von mir gefürchtete. Die Chemie stimmt überhaupt nicht. Ich will mir das aber auf keinen Fall anmerken lassen, sondern freundlich und zugewandt weiterfragen. In solchen Fällen wünschte ich mir, ich hätte ein Rezept für den Erfolg. Eines, das mich daran hindert, den anderen ungeduldig zu bedrängen, weil ich unbedingt etwas erfahren will. Er/sie aber dichtmacht. In dem Rezept müsste auch stehen, wie ich es schaffe, mir meinen Ärger und meinen Frust nicht anmerken zu lassen, wie ich es schaffe, weiterhin eine gute Miene zu einem blöden Spiel zu machen.

Blicken wir doch mal auf gut vierzig Jahre zurück. Christine Westermann startet ihren Berufsweg. Was für eine Christine Westermann sehen wir da?

Eine Fünfzehnjährige, die bei ihrer Heimatzeitung, dem »Mannheimer Morgen«, Sonntagsdienste macht. Mädchen für alles ist. Kuchen aus der Bäckerei holt, Faxe von einer Redaktion in die andere trägt, Kaffee kocht, schmutzige Tassen spült, Farbbänder in Schreibmaschinen wechselt, die Zeitungen von gestern zum Mülleimer bringt.

Stand für Dich als Kind schon fest, dass Du Journalistin werden möchtest?

Nein, aus mir hätte, wäre es nach meinem Vater gegangen, eine Lehrerin werden sollen. Ich war sehr gut in Deutsch. Beim Abitur habe ich den besten Deutschaufsatz der Schule geschrieben. Man darf dann eigentlich auch die Abiturientenrede halten. Ich durfte nicht, weil ich in Mathe als Abinote eine Fünf bekam. Keine Chance. Eine Fünf im Abschlusszeugnis und dann in der Aula vor dem Kollegium und allen Schülern große Reden schwingen? Ausgeschlossen.

»Na, wahrscheinlich war dieser Aufsatz auch nicht so toll, sonst hätten sie doch sicher eine Ausnahme von der Regel gemacht, oder nicht?«, zischt mir der unsichtbare alte Bekannte zu.

Ich hole schon Luft, weil ich sein Sprachrohr bin, weil ich genau seinen Einwand jetzt noch unbedingt hinzufügen will, gepaart mit dem wenig eleganten Zusatz: »Wissen Sie, vielleicht überschätze ich mich oft auch ein bisschen …«, ich klappe den Mund auf, glücklicherweise ist mein Kollege, der mir gegenübersitzt, schneller.

Wie bist Du in den Journalismus gekommen?

Durch meine Mutter, sie war Sekretärin bei der Zeitung und hat mir den Laufjob für die Wochenenden besorgt.

Ich überlege blitzschnell, ob ich noch erzählen soll, dass ein Zeitungskollege schon vorher auf mich aufmerksam geworden war, durch einen Leserbrief. Als es die ersten Proteste und Unruhen Mitte der Sechzigerjahre gegen die Notstandsgesetze gab, erst an den Universitäten und dann auch an den Gymnasien, kamen Politiker an die Schulen, um in der Aula vor versammelter Schülerschaft zu erklären, dass doch alles nur halb so schlimm sei und sich keiner fürchten müsse vor Pressezensur oder Einschränkung der Redefreiheit, des Versammlungsrechtes.

Das drohe wirklich nur, wenn Notstand herrsche, und der sei sicher auch nur kurz, schließlich lebten wir in einer Demokratie und da sei ein Missbrauch der Gesetze praktisch ausgeschlossen. Der Parteimann hat noch mehr solch haarsträubenden Unsinn erzählt, ich war derart erzürnt, dass ich einen Leserbrief an jenen »Mannheimer Morgen« schrieb, den sie, leicht gekürzt, veröffentlicht haben. Mit meinem vollen Namen, dem des Gymnasiums und der Klasse, in die ich ging.

»Jetzt ist mal gut, halte Dich ein bisschen zurück«, lamentiert die Flüstertüte neben mir. »Notstandsgesetze, wer erinnert sich noch daran? Da waren die Businessfrauen hier noch nicht mal auf der Welt. Du erzählst wie früher die Oma vom Krieg. Kommst allmählich in das Alter, in dem man bei seiner Raupenfahrt in der Zeitmaschine unbedingt alle mitnehmen will. Vor allem die Jüngeren. Ob sie wollen oder nicht. Passiert Dir in letzter Zeit übrigens häufiger.«

Stimmt. Ich lasse den Leserbrief weg.

Nach ein paar Wochen Kaffeekochen durfte ich dann auch kleine Sachen schreiben. Sieben Zeilen Filmkritik: »Django. Die Geier stehen Schlange«. Meldungen für den Polizeibericht. Oder Bildunterschriften. Nach ein paar Monaten dann die erste Reportage. Ich habe vier Frauen von der Heilsarmee bei ihrer Tour durch den Hafen, das Mannheimer Rotlichtviertel, begleitet. Ich war eine von ihnen, trug die blaue Uniform, den forschen Hut, eine Klingelbüchse. Ein ziemlich betrunkener Matrose, daran erinnere ich mich noch, nahm mich damals in den Arm und sagte, ich solle mich bloß nicht unglücklich machen, für die Heilsarmee sei ich viel zu jung und viel zu hübsch. Die Reportage stand später auf der ersten Seite des Lokalteils, war der Aufmacher, »von unserer Mitarbeiterin Christine Westermann«. Ich war ungemein stolz und wurde, falls das überhaupt möglich war, noch stolzer, als mein Mathematiklehrer, bei dem ich in der Benotung jahrein, jahraus knapp an einer Sechs vorbeischrammte, in der Klasse vor allen anderen fragte: »Westermann, haben Sie das geschrieben?« Nicken. Und dann von ihm: »Respekt.«
Mehr Lob war nicht drin.

Wie wichtig ist eine gute Ausbildung?

Wichtig natürlich. Aber wichtiger ist, dass man die deutsche Sprache mag, es versteht, mit ihr umzugehen. Das notwendige Rüstzeug geben einem später die erfahrenen Kollegen an den Journalistenschulen, in den Redaktionen mit. Natürlich ist es auch in Ordnung, wenn einer erst mal studieren, ein abgeschlossenes Studium und einen Titel vorweisen will, bevor er in die Praxis geht. Ich finde es allerdings schade, dass heute nur der die Chance auf ein Fernsehvolontariat hat, der auch ein abgeschlossenes Studium vorweisen kann. Ein guter Journalist braucht nicht unbedingt ein Studium. Er braucht Liebe zu seinem Beruf. Ein guter Journalist ist ein Vermittler, einer, der sich freut, die Vielfalt der Sprache zu nutzen. Bei dem eine Messe nicht »ihre Pforten öffnet«, der Winter nicht »vor der Tür steht« und an Weihnachten die Ladenkassen nie »süßer klingen«. Einer, der ohne Synonymwörterbuch auskommt, wenn er etwas erzählen will. Der aus einem Eishockeyspieler keinen »Kufenkünstler« macht. Bei dem Köln Köln bleibt und nicht zur »Domstadt« oder gar »Rheinmetropole« mutiert. Bei dem es keine »Drahtesel« gibt, sondern Fahrräder und eine Maus eine Maus ist und nicht zum »possierlichen Nager« wird.

Was hilft dem promovierten Historiker der Doktortitel, wenn er später als Journalist nicht in der Lage ist, einen komplizierten Zusammenhang zu entwirren, ihn verständlich und klar zu vermitteln? Wenn er sich für genauso klug hält wie sein Gegenüber und schon nicht mehr merkt, wie er sich in den Vordergrund drängt. Was hat der Zu-

schauer davon, wenn ein Journalist mit Uniabschluss seine Fragen überfrachtet, statt sich zurückzunehmen und den Interviewpartner glänzen zu lassen? Wahlweise infrage zu stellen?

Ich halte mich mal besser zurück, sonst würde ich womöglich noch die Sache mit der Intendantenjacke erzählen. Die ich anhätte, wäre ich mal kurzfristig mit einem Intendanten verheiratet. Gut, muss ja nicht gleich ganz so ernst sein, liiert ginge auch noch. Dann säßen wir abends gemütlich auf der Couch, ich hätte mir seine Intendantenjacke geschnappt, wir guckten irgendwas im Fernsehen, wo gerade mal wieder eine Sendung/ein Interview/ein Text versemmelt würden. Genau dann würde ich mich ein bisschen an meinen Intendanten kuscheln und ihm sehr sachte zuflüstern:

»Du, Lieber, der Doktor Dings/die Doktor Dingsda, ich weiß, der/die hat ein tolles Studium hingelegt, aber vielleicht könntest Du ihm/ihr ja noch ein Interview-Seminar spendieren, damit er/sie ein bisschen Feinschliff bekommt? Und könnten wir bei der nächsten Volontärsausbildung auch ein, zwei Leute ohne abgeschlossenes Studium berücksichtigen, wenn wir merken, dass sie Begabung und Interesse mitbringen?«

Nachdem ich so sehr sanft versucht hätte, Einfluss aufs Programm zu nehmen, würde ich seine Intendantenjacke auch sofort wieder ausziehen. Öffentlich würde ich das natürlich niemals erzählen, aber ein bisschen träumen wird man ja wohl noch dürfen.

Haben es junge Frauen heute schwerer als damals?

Ja klar, weil viel zu viele junge Frauen als Beruf »irgendwas mit Medien« machen wollen. Was, ist schon beinahe egal. Hauptsache, vor der Kamera. Als Berufswunsch wird dann Moderatorin genannt. Ist aber kein Beruf. Moderation ist eine Unterabteilung des Journalismus.
Gute Journalisten sind nicht zwangsläufig auch gute Moderatoren. Aber gute Moderatoren, und darauf würde ich fast wetten, haben ihr Handwerk zuerst mal als Journalisten gelernt. Und gut meint nicht: gut aussehen, gefällig plappern, gut rüberkommen.

An dieser Stelle merke ich, wie dünn das Eis wird, auf dem ich mich gerade bewege.

Dünn fühlt es sich deshalb an, weil eine alte, erfahrene Journalistin wie ich sehr überheblich über die Jungen, die Unbekümmerten spricht. Jene, die die dreißig noch nicht passiert haben und Chancen bekommen müssen, sich erst mal zu orientieren. Qualität anzumahnen, strenge Maßstäbe anzulegen, wie ich es gerade tue, kommt mir nicht fair vor. Hätte es in den ersten Fernsehjahren einer bei mir getan, wo wäre ich heute? Als ich mit 22 Jahren bei der »Drehscheibe« das Wetter ansagte, hatte ich ein paar Monate lang Auftrittsverbot. Der Intendant persönlich, so hieß es, habe angerufen und wörtlich gesagt: »Nehmt das Kind vom Sender. Es moderiert wie ein Kalb, wenn's donnert.«

Ich weiß nicht, ob es tatsächlich so gewesen ist, aber wenn man meine Drehscheibenauftritte von damals sieht, kann man schon den Eindruck bekommen, dass ich große Furcht vor der Kamera hatte, durchaus vergleichbar mit einem Kalb auf der Wiese, wenn der erste Blitz in die Gänseblümchen fährt. Jung war ich und bar jeder Erfahrung, aber ich hatte eine fundierte und gute Ausbildung an einer erstklassigen Journalistenschule bekommen. Bei der Aufnahmeprüfung war es damals nicht entscheidend, ob man ein Studium vorweisen konnte. Konnte ich nicht, ich hatte gerade erst Abitur gemacht. Aber ich war bei der Aufnahmeprüfung in der Lage, innerhalb von fünf Stunden eine gute Reportage abzuliefern, einen Kommentar zu einem politischen Ereignis zu schreiben und zu erklären, was der Unterschied zwischen einem Konklave und einer Enklave ist. Ja, okay, Glück beim Schummeln hatte ich auch. »Shintoismus« flüsterte mir ein Mitprüfling beim Rausgehen zu, sonst hätte ich beim Bildertest niemals gewusst, welcher Religion die asiatisch aussehenden Mönche auf dem Foto angehörten.

Jetzt gerade kann dieser Du-bist-nicht-gut-genug-Heinz es gern mit seinen üblichen Störmanövern versuchen. Keine Chance.

Auf meine Ausbildung bin ich wirklich stolz. Auch darauf, dass ich heute bei meiner Arbeit an jedes Gespräch, jeden Moderationstext, jede Buchempfehlung noch immer sehr sorgfältig herangehe. Nicht mehr, aber auch nicht weniger erwarte ich von den jungen Frauen.
Wer heute was mit Medien machen will, sollte wissen, was. Und sobald das klar ist, sich gescheit ausbilden lassen. Wenn sich irgendwann auch noch herausstellt, dass sie eine gute Moderatorin ist, großartig.

Jetzt könnte ich mir den Vorwurf einhandeln, so etwas würde eine Fünfundsechzigjährige aus bloßem Neid auf die Jungen und Schönen im Fernsehen sagen. Tut sie nicht, aber wenn das die einzige Erwiderung auf meine Forderung nach einer gescheiten Ausbildung und einem Berufsethos ist, dann bitte schön.

Möchtest Du, wenn Du auf junge Frauen siehst, noch mal jung sein?

Auflaufen lassen, denke ich blitzschnell, jetzt einfach mit NEIN auf diese Frage antworten.

Dann aber kommt ein absehbares WARUM NICHT? hinterher, klar.

Darf ich die Frage ein wenig abwandeln? Wie gern möchtest Du noch mal jung sein, wenn Du heute auf junge Frauen siehst?
Da müsste ich länger überlegen, bei meiner Antwort wahrhaftiger sein. Ich würde gern mit dem, was ich heute vom Leben weiß, nochmal zwanzig sein. Nicht weil ich dann jung und schön und zudem sorgloser wäre, als ich es damals war. Oder nicht nur. Sondern weil mir so viel mehr Zeit bliebe, das umzusetzen, was ich heute, mit 65, vom Leben begriffen habe. Dass es da ist, um gelebt zu werden. Jeden Tag. Heute.
Nicht morgen. Und übermorgen auch nicht. Jetzt. Hier. Frau in Sessel, vor ihr ein paar Hundert andere Frauen. Auch in Sesseln.

Welche Rolle spielt Emotionalität in Deinem Job?

Eine große. Ich will in Menschen reinhören, nahe an ihnen dran sein. Der Grat zwischen nah genug und zu nah ist ein schmaler. Manchmal überschreite ich ihn. Das geht mir dann noch lange nach, ärgert mich.
Wenn es bei der Sendung »Zimmer frei« in den Gesprächen um sehr persönliche Dinge geht, Angst zum Beispiel, Einsamkeit, ist das nicht jedermanns Sache, finden das viele schräg. Oder sagen wir mal positiv: ungewöhnlich. Mein Freund und Kollege Götz Alsmann bringt es mit der ihm eigenen Ironie auf den Punkt: »Wenn Christine Westermann oben im freien Zimmer über eines ihrer Lieblingsthemen spricht: schlechtes Essen, schlechter Sex, Tod. Dann Betroffenheit, der ganze Mensch eine einzige Lichterkette.« Solchen Spott kann ich aushalten, auch darüber lachen.

Was ich nicht erzähle, dass ich mit meiner Emotionalität, meinem Nähe-Suchen, meiner beinahe kindlichen Neugier mich sehr angreifbar mache. Zwei Tage nach einer Sendung mit einem prominenten Schauspieler, dem während eines Interviews, bei dem er sehr bewegt vom Tod seines Vaters erzählte, die Tränen über die Wangen liefen, las ich in der »Süddeutschen Zeitung« eine Kritik zu ebenjener Sendung. Der Zeitungsjournalist nannte mich gefühlsduselig, peinlich fand er es, wie ich im Gespräch nach emotionalen Reaktionen gierte. »Sie irrlichtert wie ein böser Geist mit einer trüben Funzel durch die Gefühle ihres Gegenübers.« Die Kritik las ich in einem Flugzeug, auf dem Weg in den Urlaub. Bin erst mal auf die Bordtoilette und habe eine

Runde geweint. Die Kritik hatte mich heftig getroffen, ich habe sie lange nicht verwunden. Dann muss ja wohl was Wahres dran sein, könnte man mutmaßen. Das mögen andere so sehen.

Mich hat der Inhalt der Kritik getroffen, aber mehr noch ihr Stil. Das war nicht fair kritisiert, das war persönlich verletzend, verachtend. Man kann überbordende Gefühle nicht mögen, aber ein guter Journalist kann seine Meinung auch so formulieren, dass der Kritisierte nicht als kompletter Schwachkopf und übermotivierter Gefühlsdussel dasteht. Wer kritisiert die Zeitungsjournalisten, hält ihnen den Spiegel vor, zeigt mit dem Finger auf ihre Fehler, ihr Unvermögen, ihre kaum verhohlene Lust am verbalen Zuschlagen?

Ist übrigens interessant zu beobachten, wie gut es den Fernseh-/Literatur-/Musikkritikern gelingt, Verrisse zu schreiben. Und nur die. Wirklich echtes Lob zu spenden und das dann auch noch gut zu formulieren, ist so viel schwieriger. Vielleicht ein Grund, warum positive Kritiken eher selten zu finden sind.

Aber warum mich eine einzelne Kritik aus der Bahn werfen kann. Weiß ich nicht. Noch nicht? Wird sich das mit dem Altwerden ändern? Wird das Wissen um meine Stärken allmählich unabhängig werden von dem, was andere über mich sagen? Könnte mir das gelingen, wäre es ein Geschenk.

Er fragt viel, der liebenswürdige Kollege, nach den Kompromissen, zu denen die Arbeit zwingt, nach dem Berufscredo, falls man eines hat. Er fragt, was ich lieber mache, Radio oder Fernsehen, will von Plänen, Wünschen, Träumen wissen.

Fast zum Schluss der Dauerbrenner, der Klassiker.

Jene Frage, die nur erlaubt ist, wenn das Gegenüber ein Journalist ist und beim Fernsehen arbeitet. Oder irgendwas mit Medien macht und damit bekannt geworden ist.

Bist Du eitel?

Die Gedankenkette ist mir klar: Fernsehfrau wagt sich in die Öffentlichkeit, setzt sich somit bewusst einem Millionenpublikum aus.

Klarer Fall von Eitelkeit.

Könnte es nicht auch sein, dass man seine Arbeit gern macht. Und das zufällig im Fernsehen? Also gehört Öffentlichkeit ganz selbstverständlich dazu, oder?

Weiß eigentlich jemand von den Nach-Eitelkeit-Fragern, wie viel Professionalität dazugehört, vor einer Kamera zu stehen, wenn man sich gerade mal gar nicht gut fühlt. Zu dick zum Beispiel, zu alt, zu traurig, weil es eine schwierige private Situation zu bewältigen gilt? Ist es wirklich der Eitelkeit geschuldet, wenn man dann im Fernsehen zu sehen ist?

»Eitelkeit«, hat jemand geschrieben, »ist die zitternde Frage an das Schicksal: Wie werde ich gefallen?« Wenn das der Kern der Eitelkeit ist: Ja, dann bin ich eitel.

Eitle Journalisten halten sich für mindestens ebenso bedeutend wie ihre prominenten Interviewpartner. Wenn diese Vermutung von Marcel Reich-Ranicki als Beweis für Eitelkeit herhalten muss, bin ich ganz sicher nicht eitel.

Wenn man bei Google nur Christine eingibt, erscheint sofort und als erster Recherchevorschlag »Christine Westermann«. Hast Du das gewusst?

Nein, habe ich natürlich nicht gewusst. Ich nutze Google, um herauszufinden, wie viele Einwohner Detmold hat, weil ich das gerade für eine Recherche brauche.

Nach meinem Namen gucken? Auf die Idee bin ich noch nicht gekommen.

Warum eigentlich nicht?

Wirklich? Das glaube ich nicht! Bei Christine kommt Christine Westermann? Finde ich ziemlich gut, verschafft mir jetzt einen Satz roter Ohren. Ist ein bisschen zu viel der Ehre, oder?

Das kam jetzt vom Einflüsterer, hat er mir praktisch in den Mund gelegt.

Zum Schluss der alte Trick, die »Machen-Sie-den-folgenden-Satz-mal-zu-Ende«-Frage: Wenn ich noch mal 20 wäre, dann würde ich …?

Du meinst, würde ich alles noch einmal genauso machen? Würde ich. Weil die kleinen und großen Katastrophen, die Niederlagen, die Zweifel und die Unsicherheit genauso dazugehören wie die Wunder, die Siege, der Übermut, das große und das kleine Glück. Ja. Ich möchte es noch mal so haben.

Und während ich das so sage, sehe ich ihn reichlich unscharf, aber immerhin, ich sehe ihn vor mir, jenen

Weg, den ich in den letzten fünfundvierzig Jahren zurückgelegt habe. Im Berufsleben. Im Liebesleben. Im Leben überhaupt. Sehr überraschend schwappen in diesem Augenblick Freude und Dankbarkeit nach oben.

Nur mal angenommen, es lägen jetzt noch zwanzig Jahre vor mir. Was könnte ich da noch alles reinpacken! Und vielleicht fragt mich dann 2033 ein Journalist: Möchten Sie noch mal 65 sein?

Vielleicht werde ich ihm antworten:

»Och nöö, bitte nicht. Mit 65, wissen Sie, da hatte ich doch keine Ahnung, was noch alles kommen würde. Wie spannend und bunt es im Alter noch werden kann. Jetzt bin ich 85, mal sehen, was noch geht.«

Herzlichen Dank für Ihre Aufmerksamkeit, meine Damen und Herren. Vielleicht haben Sie noch Fragen an Christine Westermann, die mir nicht eingefallen sind und die für alle interessant sind.

Nein, die Businessfrauen wollen nichts mehr wissen, der Kollege hat schon alle wichtigen Fragen gestellt. Ich bin erschöpft, es strengt an, Auskunft über sein Leben zu geben.

Ich trinke noch einen mit den Frauen, fahre nach Hause und mache den Rechner an. Gebe bei Google das Stichwort »Christine« ein.

CHRISTINE ist ein weiblicher Vorname. Er leitet sich von dem griechischen Wort christos (der Gesalbte) ab und bedeutet im übertragenen Sinne: die Christin. Christine war Anfang der Sechzigerjahre des letzten

Jahrhunderts einige Male unter den zehn beliebtesten Vornamen. Die Verbreitung des Namens nahm jedoch in der Mitte der Achtzigerjahre stark ab.

Irgendwie bin ich sehr froh, dass beim Googeln nur mein Vorname an erster Stelle steht.

Doch, wirklich. Auch wenn er offensichtlich schon ziemlich veraltet ist. Geht seiner Trägerin nicht anders.

23

Er ist ein knorriges Stück Holz. Mehr nicht. Auf dem Beipackzettel wird behauptet, er sei ein Ginkgo-Baum. Freunde haben ihn mir geschenkt mit den Worten: »Im Frühjahr blüht der.« Na klar, so sicher wie ich in drei Tagen von Größe 44 auf Größe 36 schrumpfe. Tot sieht es aus, das Holz im Topf. Ich habe zwei gelbe Daumen, ich gebe zu wenig oder zu viel Wasser, am liebsten keinen Dünger, weil ich nicht weiß, wie es geht. Und was in den Schatten muss, platziere ich in meiner Schusseligkeit ganz sicher auf der Sonnenseite des Balkons. Ich habe, obwohl guten Willens, noch jeder Topfpflanze das Grün-und-stark-Werden verleidet.

Den Ginkgo stelle ich ins zugige Treppenhaus, schenke ihm nicht weiter viel Beachtung. Er braucht wohl kein Wasser, denn sobald ich ihm welches geben will, zeigt er sich inkontinent. Kaum kommt es oben rein, rauscht es unten wieder raus.

Nicht mein Baum, wundert mich nicht.

Monate später, draußen liegt noch Schnee, der laut Kalender dort nicht mehr hingehört, erwacht der Ginkgo zum Leben, zeigt hellgrüne Triebe, die bei aller ihrer Zartheit sehr entschlossen wirken. Ich beschließe, mich zu kümmern. Berühre ihn kurz, wenn ich die Treppe zur Wohnung hinaufsteige, murmele etwas Freundliches und bitte ihn, das Wachsen und Grünwerden nicht einzustellen. Drei Monate nach seinem Einzug ins Treppenhaus hat er wunderschön geformte Blätter, das Grün ist satt und irgendwie macht das kleine Bäumchen einen unglaublich starken Eindruck. Als sei es sich seiner überraschenden Üppigkeit durchaus bewusst. Die Chinesen verehren diesen Baum. Sie setzen sich unter sein Blätterdach, schicken ihre Wünsche, Ängste, Sehnsüchte in seine Krone hinauf.

Ginkgobäume können tausend Jahre alt werden. Sie sind nicht totzukriegen.

Als am 6. August 1945 die Atombombe Hiroshima vernichtete und in Sekunden alles Leben hinwegfegte, wurde auch ein berühmter heiliger Tempel dem Erdboden gleichgemacht. Der Ginkgobaum, der vor den Tempeltüren stand, verkohlte vollends. Wie alles andere in der Stadt. Monate später aber zeigte er erstes Grün. Der Ginkgobaum hatte sich zurück ins Leben gekämpft.

Im nächsten Winter bleibt meinem Ginkgo das Treppenhaus erspart.

24

Jetzt ist es passiert. Jetzt haben sie auch im Sender gemerkt, dass ich alt bin. Zu alt, um mich noch weiter im Fernsehen zu zeigen. Nein, sie haben mir natürlich nicht gesagt, ich sei zu alt. Sie haben mich mit wohlwollender Eindringlichkeit gefragt, wie lange ich denn noch im Fernsehen auftreten wolle. Was aufs Gleiche hinausläuft. Ich hab's nur nicht gleich begriffen. Eine ähnliche Frage hatte mir vor ein paar Jahren eine Moderatorenkollegin in einer Talkshow gestellt. Und ich habe mit dem Satz geantwortet: »So lange ich noch hochkomme.« Während meiner Volontärzeit beim ZDF hat mir der Journalist Hanns Joachim Friedrichs, einer, den ich schon fast verehrt habe, eines meiner wenigen journalistischen Vorbilder, eine interessante Warnung mitgegeben. »Hüte dich vor Ironie. Ironie wird in Deutschland nicht verstanden«, hatte er mir prophezeit. Er sollte recht behalten. Die ironische Formulierung mit dem Hochkommen fliegt mir gerade um die Ohren. Ich machte es mir zu einfach, wenn ich die Entscheidung allein dem Sender überließe, wann er mich aussortiert. Heißt es. Mit dem Hochkommen ist es in der Tat eine Last. Ich bin unbeweglicher geworden. Das ist sicher eine Frage des Alterns. Aber auch eine Frage der Lebenslust. Ich trinke, esse, genieße gern. Und gern übertreibe ich es auch schon mal mit der Lust. Ich kann nicht jünger werden, aber schlanker.

Ob ich bei »Zimmer frei« mit weniger Gewicht einen Salatkopf als Schnecke verkleidet besser, das heißt eleganter von A nach B transportieren kann, weiß ich nicht. Aber ich weiß, dass ich dreimal in der Woche in aller Herrgottsfrühe eine Stunde lang um einen See jogge. Mein Alter spüre ich dabei nicht.

Sicher sind Zuschauer von der Schneckennummer auch peinlich berührt. »Warum tut sie sich das in ihrem Alter noch an?«

Fremdschämen, das kann man so sehen.

Zählen auch die, die es anders sehen?

»Klasse, dass die in ihrem Alter noch jeden Quatsch mitmacht.«

Wessen bin ich angeklagt? Gibt es ein ungeschriebenes Gesetz, das für Fernsehfrauen meines Alters gilt? Ein Verfallsdatum, eine begrenzte Haltbarkeit, wenn man im Jahr der Währungsreform geboren wurde? Währungsreform, was war das noch gleich?

Die Richter sind jung, die ihre Urteile über die Alten fällen. Jünger als die Angeklagten ganz sicher. Und der Schuldspruch ist eindeutig: Wer die sechzig überschritten hat, darf ungefragt von jedermann inner- und außerhalb der Medien als Oma und Opa bezeichnet werden. Ab sofort entscheiden andere, ob er/sie noch ansehnlich und fit genug ist, um in der Öffentlichkeit eine Rolle zu spielen. Mildernde Umstände sind nicht zu erwarten, selbst wenn es für die Angeklagten spricht, dass man ihnen von allen Seiten attestiert, »jung geblieben« zu sein.

Jung geblieben? Jungsein als das einzig Erstrebenswerte? Was wissen die, die nur jung sind und noch nie alt waren, von den feinen Unterschieden? War es ausschließlich wunderbar, dass ich mich als junge Frau hin und wieder maßlos überschätzt und ordentlich Lehrgeld bezahlt habe? Dass ich mich in der Richtung geirrt habe und auf Holzwegen unterwegs war? Dass ich Stoppschilder mutwillig übersehen habe und erst durch Schaden klug geworden bin?

Wieso wird über die Alten bestimmt, als seien sie selbst nicht mehr in der Lage, zu entscheiden, was ihnen noch guttut und was nicht?

Als der Bayerntrainer Jupp Heynckes von seinem Verein gegen den jüngeren Pep Guardiola eingetauscht wurde, hat er am Saisonende laut darüber nachgedacht, was er als Trainer – erfolgreich wie kaum ein anderer – nach seiner Bayernzeit noch alles machen könne.

»Etwas machen? Wieso will der denn noch was machen? Der geht doch auf die 70 zu, der soll sich mal ausruhen, seinen Garten daheim in Schwalmtal bestellen, mit dem Hund rausgehen, abends die Beine hochlegen und den Ruhestand genießen.« Wer schreibt Artikel, in denen solche Altersvorschriften festgelegt werden?

Journalisten, vermute ich, die weit von der 70 entfernt sind. Die aber so tun, als seien sie bereits alt(klug) auf die Welt gekommen, hätten die Lebenserfahrung als Babybrei mit Löffeln gegessen.

Wenn einer wie Heynckes aber widerspricht und versichert, er fühle sich auf der Höhe seines Schaffens, wird das mit einem lässig-lapidaren »Der kann nicht loslassen« quittiert.

So wie man einen Siebenjährigen um acht ins Bett

schickt, schickt man einen Siebzigjährigen in Rente. Proteste in beiden Fällen zwecklos.

Wie wäre es, wenn all jene, die sich noch nicht zu den Alten zählen, den Respekt aufbrächten, sich nicht zu Seniorenbestimmern aufzuschwingen? Die forsche Überheblichkeit einfach mal wegließen?

Ungelenker Versuch einer Wiedergutmachung für den von ihnen vorangetriebenen Abgang der Alten ist das Versprechen, dieser solle ein würdevoller sein.

Würdevoll. Ich sehe mich schon im Hermelinmantel, vor mir das samtene Kissen, auf das ich meine Moderatorinnen-Krone legen werde. Trompetenfanfaren und dann Abgang mit Sänfte, getragen von sechs bronzefarbenen Nubiern. Wenn möglich alle unter dreißig.

Wie sollte ich meine sanft angeschobene Abdankung erklären? Mit dem Papst, zum Beispiel. Wäre eine Möglichkeit. Dem war es zu viel, und schon war er weg. Wäre in meinem Fall allerdings eine Notlüge. Mir ist es noch nicht zu viel, was kein Wunder ist. Schließlich ist 65 nur alt, mehr nicht, oder irre ich mich?

Sehen andere etwas, was ich nicht sehen kann? Sehen will? Eine alte Frau, die längst nicht mehr so gute Sendungen macht wie mit 59 noch? Deren Interviews, seit sie die 60 überschritten hat, schlechter statt besser geworden sind? Die nicht nur im Rentenalter ist, sondern auch so aussieht. Die für jeden Maskenbildner eine echte Herausforderung darstellt? Die für den Jungbrunnenwahn im Fernsehen die völlig falsche Vorzeigefrau ist, zumal sie nicht einmal mehr in der Lage ist, im Studio eine geschmeidig von A nach B kriechende Schnecke abzugeben?

Meine Selbsteinschätzung ist eine andere. Ist sie deshalb auch falsch?

Ich fühle mich lebendig, begierig, neugierig auf das, was noch kommt. Tatsächlich zu begreifen, wie glücklich ich mich schätzen kann, mir vor mehr als vierzig Jahren den Beruf der Journalistin ausgesucht zu haben, ist für mich heute eine der großen positiven Lebenserfahrungen.

Radio- und Fernsehsendungen, Buchempfehlungen, Veranstaltungen, Lesungen, ich bin, um diesen alt(?)-modischen Begriff zu benutzen, auf der Höhe meines Schaffens, meiner Lebenszeit. Und jetzt soll ich Abschied nehmen und sagen, es ist genug? Das wäre nicht die Wahrheit, weil es meinem Lebensgefühl komplett widerspricht.

Der klassische Satz »Man muss wissen, wann man verloren hat« wäre auch nicht schlecht als Begründung für den TV-Rentenbescheid. Aber gegen wen habe ich verloren? Gegen Jüngere, vermute ich, aber das ist keine Niederlage. Ich war 22, als ich in der »Drehscheibe« die ersten Moderationen machte. Ich war jung. Ich war es nicht nur, ich sah auch so aus, Pferdeschwanz und der schon beschriebene Blick eines Kalbs, wenn es donnert. Mehr oder weniger behutsam wurde ich damals aufgebaut. Und die beiden älteren Kolleginnen, die unglaublich attraktiv, souverän und ohne jedes Lampenfieber vor den Kameras standen, haben mir stets geholfen, mich angelernt, mir gezeigt, wie das mit der Gelassenheit vor einer Kamera gehen könnte.

Der Lauf der Welt für alle Ewigkeit: Alt macht Platz für Jung, das ist ebenso richtig wie gut. Die Frage ist allerdings, von wem oder wie der Zeitpunkt bestimmt wird.

Mit 83 ist dann auch mal gut, hat die amerikanische Journalistin Barbara Walters beschlossen, Ende des Jahres läuft ihre Vormittags-Talkshow »The View« aus, der Abschied nach über fünfzig Jahren im Fernsehgeschäft. Gegen das sichtbare körperliche Altern hat sie sich mit feinen Faltenschnitten und regelmäßigen Spritzkuren gewehrt. Kann man, muss man nicht machen.

Sie war die erste Frau im amerikanischen Fernsehen, die zur Hauptsendezeit am Abend die wichtigste Nachrichtensendung als Co-Moderatorin präsentieren durfte. Interviewfragen, so wird es kolportiert, waren ihr allerdings erst erlaubt, wenn ihre männlichen Kollegen keine weiteren mehr hatten.

»Das Alphatierchen des Nachrichtenfernsehens«, hat die New York Times sie mal genannt. Die Alphatiere, die Männermoderatorenriege, fanden eine Frau an ihrer Seite ziemlich überflüssig, haben versucht, sie beiseitezuschieben, so gut es eben ging. Weil sich die Walters aber nichts gefallen lassen wollte, beschloss ihr Moderationskollege Harry Reasoner, während der Sendung und vor laufender Kamera einfach nicht mehr mit ihr zu reden. Bis heute, sagt Barbara Walters, hat sie das Gefühl nicht vergessen, in ein Studio zu gehen, wo keiner mit ihr sprach. Die Einzige, die noch mit ihr redete, war ihre Stylistin. Wenn Walters in der Maske weinte, sagte die nur trocken: »Hör auf zu heulen, du verwischst das Make-up.« Eines Tages bekam sie ein Telegramm, in dem stand: »Lass dich von den Mistkerlen nicht kleinkriegen.« Absender: John Wayne. Als die Walters durch geschicktes Verhandeln schließlich irgendwann kurzzeitig mehr verdiente als der Fernsehtyp, der sie anschwieg, wechselte das Alphatier entnervt den Sender, das siegreiche Alphatierchen blieb. Noch fast vierzig Jahre. So viel zum Thema starke Frauen in den Medien.

Mir hat eine große deutsche Volkspartei einen Brief geschickt, mich in wohlgesetzten Worten darum gebeten, ich möge mich als ältere Fernsehfrau in der Öffentlichkeit für ein positiveres Altenbild einsetzen. Sehr gern, geht aber nur, solange ich mich als ältere Fernsehfrau noch vor eine Kamera stellen darf.

Wer unfreiwillig Richtung Ausgang gedrängt wird, schnitzt sich meist wohlfeile Ausreden. Es wird notgelogen: Man freue sich auf mehr Zeit, habe schon viele Pläne. Und als krönender Abschluss das Poesiealbum-Sätzchen: Wenn's am schönsten ist, soll man gehen. Phrasen, damit es in der Öffentlichkeit nicht so rumort, wenn man gegangen wird. Und falls man mich mit 79 oder 81 noch mal nach vorn schiebt, weil irgendein Jubiläum ansteht oder weil man den Jungen, die lieber interneten als fernzusehen, mal zeigen will, wie Fernsehdinos aussehen, dann könnte ich den Klassiker raushauen: »Die Arbeit? Ach, vergessen Sie es. Die vermisse ich kein bisschen. Es gibt so viel Schöneres auf der Welt.«

Ich bin ganz gut im Notlügen, täusche dringende Geschäfte vor, wenn ich lieber zu Hause auf der Couch rumlümmeln will, statt mit einem Glas in der Hand bei einem Medienempfang rumzustehen. Konfrontiert mit einer Auswechslung aus Altersgründen aber kann ich mir nur schwer vorstellen, mit einem fröhlichen »Ach, wissen Sie, ich wollte schon so lange mal was anderes machen. Nämlich gar nichts. Nur Zeit für mich haben« tatsächlich auch überzeugend zu wirken.

Mir passiert das, was vielen anderen Fernsehfrauen vor mir passiert ist. Dennoch fühlt es sich so an, als sei ich die Erste, die sanft aus den Fernsehkulissen geschoben wird.

Mir kommen jene Sprüche in den Sinn, die ich auf Lager habe, wenn andere einen Einschnitt in ihrem Leben fürchten müssen:

»Es kann nur etwas Neues kommen, wenn etwas Altes geht.« Oder jene Weisheit des französischen Schriftstellers André Gide, die ich wie ein Wanderprediger auf Hunderten von Veranstaltungen mit großer Überzeugung vorgetragen habe: »Man kann keine neuen Länder entdecken, ohne dabei das Ufer für längere Zeit aus den Augen zu verlieren.«

Dabei sollte ich wirklich Urvertrauen haben wie ein Baby. In den vielen schwierigen Lagen meines Lebens habe ich nämlich genau das auch erfahren. Dass man erst mal die Orientierung verlieren kann, bevor man weiß, hier geht's lang.

Zur letzten Sendung, der sicher schwersten, komme ich einfach nicht, das habe ich schon lange beschlossen. Und wenn, dann nur in Gummistiefeln, weil ich das Studio mit meinen Tränen unter Wasser setzen werde. Selbst wenn die nur von einem weinenden Auge produziert werden. Das andere, das lachende, peilt schon mal vorsichtig die Zukunft an.

»Kein Mut ohne Angst«, steht auf der Karte, die ich, weil ich mal wieder abnehmen wollte, im Reformhaus zusammen mit der Shitakecreme, gekauft habe. Der Spruch hängt schon Jahre an meinem Rechner, keine Ahnung, warum ausgerechnet da. Ich nehme ihn selten wirklich wahr. Dabei ist die Karte auffällig, weil ordentlich kitschig. Ein mickriger kleiner Fels, über den sich krachend die Brandung hermacht. Es sieht aus, als habe er sich mutig nach vorn gewagt, sich dem Meer, der drohenden Gefahr entgegengestemmt. Mit dem Mutterfelsen, der sich in sicherer Entfernung als veritable Klippe ans Land lehnt, verbindet ihn so gut wie nichts mehr.

Kein Mut ohne Angst, na ja, hängt insgesamt ein bisschen schief, das (Sprach-)Bild. Der kleine Felsen, der mutig ist, auch wenn er ein bisschen Angst vor den großen Wellen hat. Uff.

Den Satz aber finde ich gut.

Habe ich Angst, mich nach vorn zu wagen?

Bin ich mutig genug, es zu tun?

Deutlich zu sagen, dass ich mit meinen 65 Jahren – oder trotz meiner 65 – nicht aufhören möchte?

Dass ich eine Sendung weitermachen will, die mir großes Vergnügen bereitet und mich immer wieder und immer noch überraschend herausfordert?

Immer dann, wenn man schon denkt, jetzt läuft es wie von selbst, läuft eben völlig unerwartet gar nichts mehr. Sitzt einem statt des angekündigten sehr pflegeleichten Promis der komplett sperrige Kommunikationsmuffel gegenüber, bei dem es mehr als Mühe macht, ihn in Redelaune zu versetzen. Und noch anstrengender wird es, wenn man sich selbst im Wege steht. Einen grottenschlechten Tag erwischt, völlig nervige, uninspirierte Gespräche anzettelt, bei denen der Gast, wäre er genauso schlecht drauf wie die Moderatorin, jede einzelne Frage mit einem spröden Ja oder Nein abbürsten könnte.

Dann geht man nach Hause und der alte Kritikerfreund hat absolutes Oberwasser, liegt einem beständig in den Ohren mit seinem »Du kannst es eben doch nicht«. Solche Sendungen gibt es auch. In der Mehrzahl aber gibt es jene, bei denen die Arbeit zum Vergnügen wird. Wo alles stimmt, man am Ende des Abends beseelt nach Hause geht und einen der Erfolg durch den nächsten Tag trägt.

Brauche ich Mut, um die Verantwortlichen zu fragen, was mit mir und meiner Arbeit nicht mehr in Ordnung ist? Habe ich Angst, das Unangenehme zu hören? Dass es nicht nur nicht mehr gut genug ist, was ich als Journalistin mache, sondern auch nicht mehr gut genug aussieht? Dass es für einen großen Sender, der um die jungen Zuschauer wirbt, unzumutbar ist, eine über Sechzigjährige vor der Kamera zu beschäftigen?

Interessantes Wort: unzu-mutbar.

Bar jeden Mutes?

Ein Sender, der nicht den Mut aufbringt, sich an die Seite einer älteren Moderatorin zu stellen? Braucht das wirklich Mut?

Ist es mutig zu sagen: »Hallo, Leute, alle mal herhören. Alle Sender wollen junge Zuschauer. Wir wollen das auch. Aber das ist kein Grund, dass die Älteren gänzlich aus dem Programm verschwinden. In ein paar Jahren wird »Zimmer frei« sein zwanzigjähriges Bestehen feiern. Zwanzig Jahre die etwas andere Unterhaltungssendung im deutschen Fernsehen. Unsere Zuschauer sind mit »Zimmer frei« und den Moderatoren älter geworden, junge sind dazugekommen. Beim Jubiläum im Sommer 2016 ist unsere Moderatorin fast 68. Wir sind sicher, dass sie auch dann noch ganz gut hochkommt. Könnte sein, dass es ein paar Schneckensalattransportspiele weniger geben wird, aber unseren Autoren fällt sicher was ebenbürtig Fröhliches ein. Christine Westermann arbeitet seit mehr als dreißig Jahren für den WDR, sie ist ein Gesicht des Senders, sie hat ihn mitgeprägt, genauso wie es die anderen, die jungen Journalisten in den nächsten Jahrzehnten tun werden. Wir haben uns für eine klare Linie entschieden. Nicht Jung gegen Alt, sondern Jung und Alt gemeinsam. Das ist nicht mal mutig, das ist richtig.

Ich danke Ihnen.«

Das wäre doch mal 'ne Ansage.

Natürlich würde kein Programmverantwortlicher dieses Statement so unschuldig offen formulieren, er würde es eloquenter, ausgefeilter, mit Zahlen aus der Marktforschung unterfüttert, sich dabei womöglich in sperrigem Mediendeutsch verheddernd vortragen, aber egal. Rein theoretisch könnte es so gehen. Und praktisch? Würde er dem Kern der Botschaft überhaupt zustimmen? Wollen? Dürfen? Der Botschaft, die da lautet: Alt geht bei uns auch.

Ich schnappe mir meinen Mut und das bisschen Angst, das dazugehört, erinnere mich daran, dass Klarheit und Glaubwürdigkeit zu meinen Stärken gehören, und bitte den Programmchef um ein Gespräch. Als es so weit ist, bin ich fast entspannt, denn er hört zu, fragt klug nach, ist zugewandt, offen für Vorschläge, und bittet schließlich um Bedenkzeit.

Und was passiert? Etwas Unverhofftes, ein kleines Wunder. Als er zwei Tage später anruft, regnet es Sterntaler: in Form von Anerkennung und Wertschätzung. Für die Sendung und ihre Moderatoren. Der kaum verhüllte Fingerzeig, die Moderation freiwillig abzugeben, bevor der Sender sich dazu entschließen muss, eine Fünfundsechzigjährige aus Altersgründen aus dem Programm zu nehmen, ist vom Tisch.

Im Sommer 2016 wird »Zimmer frei« zwanzig Jahre alt. Zum Jubiläum wird es ein großes Fest geben. Mit zwei Moderatoren, von denen der eine dann fast 60 Jahre alt ist und die andere fast 68.

Für eine Fernsehsendung sind zwanzig Jahre übrigens ein ungewöhnlich hohes Alter.

25

Der Dirigent Pierre Monteux war 38 Jahre alt, als er über Nacht weltberühmt wurde. Im Mai 1913 hatte in Paris »Le sacre du Printemps« Premiere, ein Ballett, zu dem Igor Strawinsky die Musik geschrieben hatte, Monteux war der Dirigent. Das Pariser Publikum war ungnädig, fing schon nach wenigen Minuten an zu pfeifen, laut zu lachen, zu buhen, zu johlen und war auch nicht gewillt, damit aufzuhören. Die Premiere schien zu kippen, der Abbruch drohte. Pierre Monteux ließ sich nicht beirren, blieb völlig ruhig, hatte sein Orchester perfekt im Griff und brachte trotz Riesentumult das Stück mit heiterer Gelassenheit zu seinem vorgesehenen Ende. Fortan galt Monteux als einer der Großen seines Fachs, war in renommierten Konzerthäusern weltweit ein gefragter Mann.

Der Künstler war eher klein gewachsen, und als er älter wurde und vielleicht deswegen noch ein Stückchen seiner ursprünglichen Länge verloren hatte, schlief er in den Konzertpausen schon mal gern in der Vertiefung seines Kontrabasses. Dort in die Mulde geschmiegt, ruhte er sich aus, er scheute den langen Weg vom Podium in die Künstlergarderobe und zurück.

Monteux war zeitlebens ein quirliger, vergnügter, arbeitsverrückter Mann. Als er 85 war, bot man ihm an einem bekannten Opernhaus noch einmal einen

Vertrag über ein zeitlich befristetes Dirigat an. Bei den Verhandlungen verlangte Monteux einen Zehn-Jahres-Vertrag.

»Zehn Jahre?«, fragte die Direktion entgeistert zurück.

»Ja«, sagte der Dirigent unbeeindruckt, zwanzig Jahre seien ihm zu viel. So lange wolle er sich nun wirklich mit 85 nicht mehr binden.

Es geht noch was. Immer.

26

Nimm den Augenblick wahr. Klingt abgedroschen, ich ahne schon, wie solche Zeilen von irgendwelchen Kritikern zerpflückt werden, die zu jeder Tages- und Nachtzeit genau wissen, wo es im Leben langgehen muss. Mit Innehalten und die Aufmerksamkeit auf den Moment lenken ist es ganz sicher nicht getan. Nicht bei ihnen. Mit so einem Firlefanz braucht man ihnen gar nicht erst zu kommen. Woher ich das weiß? Weil ich selbst zu diesen Leuten gehörte, die gesagt haben: »Hör mir auf mit Meditation, mit diesem fernöstlichen Getue. Innehalten, Atmen, Vogelgezwitscher, sonst noch was?«

Und jetzt habe ich die Seiten gewechselt und finde es großartig.

Innehalten.

Das Finanzamt will ein gefühltes Vermögen von mir zurückhaben und ich sitze da und bleibe ruhig.

Was ist mit dem Hier und Jetzt nicht in Ordnung? Alles ist in Ordnung. Ich sitze auf dem Balkon, habe die ersten Frühlingssonnenstrahlen im Gesicht, rieche den Flieder, höre die Amsel. Finanzamt? Steuerrückzahlung? Nicht hier und jetzt. Alles zu seiner Zeit. Und die ist garantiert erst später.

Es funktioniert. Sehr gut sogar. Ich werde allerdings zu einer Gefahr im Straßenverkehr. Ich stehe samt Auto vor einer Ampel. Ich warte nicht, ich atme. Nutze den Moment, halte inne. Gucke auf das Rot der Ampel, ignoriere die Gedanken, die reinkommen, rutsche in meine eigene Stille. Geht sekundenlang wie von selbst. Es sind die Ohren, die einen dringenden Notruf absetzen. Hupkonzert, Innehalten einstellen, weiterfahren.

Ich atme mich durch den Tag, es geht mir gut. Überraschend gut.

Stehe in der Autoschlange vor einer Tankstelle. Nicht warten, atmen. Ich sehe eine etwas unbeholfene Tankstellenhilfe, die den Eindruck macht, als wisse sie nicht, wo es langgehen soll, wenn sich der Chef gleich in die Mittagspause verabschiedet. Vielleicht würde sie ihn gern begleiten. Denke ich, obwohl ich nicht denken möchte, so einen Unsinn schon mal gleich gar nicht. Nutzt nichts, ich werde weiter gedacht. Wenn jetzt was Unerwartetes passierte, der Wagen nicht anspringen würde, weil die Batterie streikt?

Wer hilft? Die verhuschte Angestellte? Würde die Schlange noch länger werden? Während ich gedacht werde, fragt sich ein kleiner, mutmaßlich vernünftiger Teil meines Hirns, warum ich mir einen solchen Blödsinn zusammenfantasiere. Ich konzentriere mich wieder aufs Wahrnehmen, gucke mir die Zapfsäulen an, was für eine interessante Konstruktion. Eine Wahrnehmung, die meinen Gedanken sofort Flügel verleiht. Sie fliegen nach Amerika, wo einem beim Tanken, sobald man den Rüssel ins Loch hängt, die Zapfsäulen lautstark anplärren und eine Werbebotschaft nach der anderen raushauen. Keine Chance sich zu wehren, erst wenn der Tank voll ist, gibt auch die Säule Ruhe.

Hinter mir lichthupt einer, ich konzentriere mich aufs Tanken. Die Zahlen rauschen über das Display.

Am Ende sind es achtundachtzig Euro. Ich zahle, steige ins Auto, fahre ein paar Meter, stoppe, weil ich noch das Verdeck runterklappen will.

Hinter mir wird ungeduldig gehupt. Nein, ich ärgere mich nicht. Bedauere stattdessen diesen Menschen, den das Warten nervt, weil er nicht weiß, dass man statt zu warten auch atmen kann. Ich fahre ein Stück vorwärts, damit er an die Zapfsäule kommt, lande versehentlich mitten auf einem Fahrradweg, was einen entgegenkommenden Fahrradfahrer zur Vollbremsung zwingt. Bringt ihn nicht aus der Fassung, im Gegenteil. Er lächelt mich freundlich an, und ich schicke ihm ein Lachen zurück, bei dem ich selbst merke, wie umwerfend, wie gewinnend es ist.

Ich kann förmlich spüren, wie es auf seinem Gesicht auftrifft und sich widerspiegelt. Ich bin begeistert, von mir, der Welt, dem Augenblick. Jetzt läuft's, denke ich. Ich habe was kapiert.

Eine halbe Minute danach läuft nichts mehr, das Auto schüttelt sich noch mal kurz, der Motor stottert, schafft noch knappe fünfzig Meter, dann ist es aus. Stille und Stillstand. Das Auto mausetot. Und ich weiß sofort, was falsch gelaufen ist. Super statt Diesel. Während ich vor der Zapfsäule innehielt, die Gedanken nach Amerika flogen und ich mit Atmen beschäftigt war, habe ich einen Dieselmotor mit Superbenzin versorgt.

In Rekordgeschwindigkeit ist meine Welt eine andere. Ich bin eine Frau, die mit fettigen Haaren und fleckigen Jeans vorhin aus dem Haus sprintete, um mal eben Pakete zur Post und den Wagen zur Tankstelle zu bringen. Obendrein wird es gerade Frühling, überraschend schnell ist die Temperatur auf fünfundzwanzig Grad hochgerutscht, ich trage einen zu dicken Pullover, auch noch schwarz, spüre die unerwartete Wärme hautnah.

Der Wagen ist mitten auf der Straße stehen geblieben. Motorschaden. Ich versuche wider besseres Wissen, ihn anzuschieben. Genauso gut hätte ich versuchen können, einen Elefanten zu schultern. Jetzt haben alle Autos hinter mir gesehen, dass ich allein nichts bewegen kann. Statt wie blöd zu hupen, wird gleich einer kommen, um mir zu helfen. Nichts passiert. Ich weiß, dass es völlig schwachsinnig ist, aber ich denke, wäre ich jünger, dünner, attraktiver ... Aus einem am Straßenrand geparkten Wagen glotzt mich ein Mann teilnahmslos an. Seine Frau unterstützt ihn dabei. Ich kann auch anders. Ich winke ihm heftig, die Aufforderung ist klar. Steig aus, Mann, hilf mir schieben. Er sieht erst zu der Frau auf dem Beifahrersitz. Die guckt, als ginge sie das nichts an. Was ja nicht ganz falsch ist. Ich wedele noch mal heftig mit beiden Armen, schicke ein lippensynchrones BITTE hinterher.

Schließlich quält er sich aus seinem Auto, ich frage ihn, ob er mir helfen könne, das Auto an den Bordstein zu schieben, damit die Straße frei ist. Wir schieben beide, geht ganz gut, aber dann auch wieder nicht. Denn lenken und schieben gleichzeitig kriege ich nicht hin, also hüpfe ich ins Auto, mit einem ziemlich unangenehmen Gefühl. Ich weiß nicht, was mein Auto wiegt, aber ich weiß, was ich wiege. Und das ist mir doch gewaltig peinlich, dass der arme Mann jetzt noch neunzig Kilo Verschiebemasse obendrauf bekommt. Da muss er durch, das Auto steht irgendwann tatsächlich an der Bordsteinkante, ziemlich schräg, aber egal. Ich bedanke mich, er bewegt keinen Gesichtsmuskel. Ich rufe den ADAC an. Und habe jetzt sehr viel Zeit zum Atmen. Der Mechaniker kommt frühestens in einer Stunde. Nicht warten. Atmen. Zwischendurch habe ich Angst, ich könnte vielleicht hyperventilieren, weil ich es mit dem Atmen vor Aufregung übertreibe.

Warum hatte ich noch vor knapp einer Stunde das sichere Gefühl, die Welt sei rosarot und ich könne sie aus den Angeln heben? Zu früh gefreut?

Nicht denken. Weiteratmen.

27

Bin mal wieder im Reformhaus gewesen. Diesmal wegen Aprikosenkernöl, soll gut für die Haut sein. Die alternde Haut, versteht sich. Was auch gut läuft, sagt der Verkäufer unaufgefordert, sei Lindenblütencreme, die benutze seine Großtante praktisch seit ihrer Geburt, sie bewirke Wunder. Die Großtante sei jetzt schon fast 80, sehe aber aus wie 64. Na bitte, sechzehn Jahre einfach weggecremt. Ich verlasse den Laden mit Lindenblüten und Aprikosen. Und wieder mal mit einer Karte. Die Bildbeschreibung erspare ich mir, das Motiv ist unsäglich. Der Spruch aber hat mir gefallen. »Ist uralt«, mäkelt eine Freundin. Ja und?

Für mich ist er neu.

Falls mich mal wieder jemand in einem Interview nach meinem Lebensmotto fragt – und damit kann man in meinem Alter so sicher rechnen wie mit einem Amen nach dem Vaterunser –, scheint der Reformhausspruch erst mal ganz passend:

»Es geht im Leben nicht darum, Stürme zu überstehen, sondern zu lernen, wie man im Regen tanzt.«

28

Der heilige Pater Piu steht eingeklemmt zwischen einer halb leeren Flasche Mineralwasser und einem Verlängerungskabel im Regal, neben ihm hockt ein bronzefarbener Buddha windschief auf seinem Sockel, wird von einem Schälchen mit leicht eingedellten Apfelsinen gestützt. Die Muttergottes lugt in dreifacher Ausführung aus einem Bilderrahmen vorsichtig hinter einem CD-Player hervor, über dem ganzen Ensemble baumelt eine Traumfeder. Sieht so aus, als sei die ziemlich originell zusammengewürfelte neue Dreifaltigkeit samt Albtraumabfangjäger für den Bewohner des Hauses von Bedeutung.

Der Bewohner des Hauses ist Jesus, nicht verwandt und nicht verschwägert mit dem Original. Dieser Jesus ist in Spanien geboren, sein Vorname ist dort so häufig, wie Gottlob bei uns selten geworden ist. Jesus kann Sachen, die andere Menschen nicht können und die die meisten Leute für kompletten Humbug halten. Jesus sagt, er könne mit Verstorbenen Kontakt aufnehmen. Oder die Lebenden an den Anfang ihres Lebens wahlweise in die Leben, die schon hinter ihnen liegen, zurückführen.

Bei »Zimmer frei« war einmal eine Schauspielerin zu Gast, die überzeugt davon war, in einem früheren Leben zu einem Hunnenstamm gehört zu haben. Theoretisch nicht abwegig, wenn man ihre Erscheinung sah. Ein eher dunkler Typ, große schwarze Augen, das Gesicht schön und ungewohnt fremd zugleich.

Völlig absurd, den Gedanken an ein früheres Leben überhaupt für möglich zu halten? Ja, vielleicht. Aber auch eine durchaus verlockende Option, dem nachzugehen, wenn man, wie ich, einen leichten Hang zum Übersinnlichen gepaart mit einer Menge Fantasie und Neugier hat. Als die Schauspielerin Details aus ihrer Rückführungssitzung erzählte, war sie auf einem Pferd reitend wieder mittendrin im Schlachtgetümmel, ein Hunne, der mordend und brandschatzend durch die Dörfer zog. Das Gespräch erzeugte Gänsehautatmosphäre, noch beim Erzählen merkte man ihr die Faszination an, die die Rückführung bei ihr ausgelöst hatte. Wir unterhielten uns später beim Bier noch miteinander, zum Abschied gab sie mir die Telefonnummer einer Rückführerin aus Berlin.

Ich war erst wild entschlossen, später habe ich noch hin und wieder mal daran gedacht, bin am Ende im aktuellen Leben geblieben, das schien mir aufregend genug.

Als ich fürs Fernsehen ins Kloster ging, hat eine Kollegin für dieselbe Fernsehreihe eine Sitzung bei einem spirituellen Heiler gemacht. Sie, die keiner Kirche angehört, für die Gott eine Erfindung der anderen ist, die an nichts glaubt außer an das Leben, das wir jetzt haben, nichts davor und nichts danach. Sie, die sehr geerdet und fröhlich ist und deshalb bei dem Vorschlag, ihren toten Schwiegervater zu treffen, der eine wichtige

Rolle in ihrem Leben spielte, laut gelacht und heftig den Kopf geschüttelt hat. Alles Quatsch, undenkbar. Sie ist also mit größtmöglicher Skepsis in dieses Abenteuer gegangen. Als sie verweint aus der Sitzung kam, brachte sie nur ein »unglaublich« heraus. Sie konnte und wollte es nicht glauben, dass sie in diesen anderthalb Stunden tatsächlich ihren toten Schwiegervater gesehen und mit ihm auch irgendwie kommuniziert hatte.

Jesus, der spanische, war damals Kontaktmann ins Jenseits. Jesus, in dessen Sitzungszimmer unterm Dach ich stehe, um auch mal mit jenen da drüben ins Gespräch zu kommen. Teile der geistigen Welt, die mich bei meiner ersten Stunde unterstützen wollen, sind wohl schon da, als ich den Raum betrete. Jesus fragt, ob ich ihre Anwesenheit spüre. Ich spüre nichts, aber ich möchte es gern, gebe mir Mühe, und der Wunsch ist der Vater des Spürens. Ich spüre was. Unter dem Dach bei Jesus ist es erheblich wärmer als im Erdgeschoss. Was an der starken geistigen Aura der Ehemaligen liegen könnte.

Sich lustig zu machen ist feige und ich bin schlichtweg zu feige, zuzugeben, wie spannend ich das finde. Sogenannte spirituelle Begegnungen, Rückführungen in die Leben davor, wenn es sie denn gab. Gespräche mit Verstorbenen, wenn sie denn möglich sind. Ich bin für vieles offen, das geht von Astrologie über Handlinien, Kartenlegen bis hin zur Kaffeesatzleserei aus einer bodenlosen Tasse.

Bottomless cup heißt eine Wahrsagertruppe, bei der ich in meiner Amerikazeit die Zukunft erfragt habe. Mal eben, zwischen Frühstück und Mittagessen.

Die Kaffeesatzleser sitzen in New Orleans, man ruft an, wird freundlich begrüßt (»Hi honey, how are you?«), tauscht ein paar belanglose Höflichkeiten aus, stellt fest, dass es in San Francisco mal wieder nebliger ist als in New Orleans. Der freundliche Mann am Telefon kennt nichts außer meinem Vornamen, mit Christine lässt sich zumindest in Richtung Religion ein wenig spekulieren, er tastet sich vorsichtig heran. Sieht einen wachen Geist, viel Kreativität, Begabung (wofür, lässt er erst mal weg). Mit derart ungefähren Schmeicheleien könnte er im Prinzip auch einen Bäcker umgarnen, der just an diesem Morgen mal ein neues Rezept für die ewig gleichen Muffins ausprobiert hat.

Während er im Kaffeesatz rührt, mal an dieser Stelle, mal an jener, bin ich sehr konzentriert, ich will ihn sofort unterbrechen, wenn mir irgendetwas völlig schräg scheint. Aber in allem, was er sagt, scheint ein Körnchen Wahrheit enthalten, einen richtigen Versenker landet er nicht.

Plötzlich wird er still, sagt »hm« und einmal »oh«, er bittet um ein paar Augenblicke Geduld und dann höre ich ein überraschtes »Wow« am anderen Ende der Leitung in New Orleans.

»Ich sehe ein Buch, Moment, es ist noch ein bisschen unscharf, doch, es ist ein Buch, ganz deutlich, ich sehe ein Buch.«

Die Vorstellung scheint ihm zu gefallen.

Das Buch rührt sich auch in den nächsten Minuten nicht von der Stelle, im Gegenteil, es tauchen noch ein paar mehr auf, deshalb ist die Sache für ihn sonnenklar. Ich werde in Zukunft etwas mit Büchern zu tun haben. Schreiben, verlegen, empfehlen, drucken, da kann er sich nicht festlegen, bei meiner Kreativität sei es eine naheliegende Möglichkeit, eigene Bücher zu schreiben. Er persönlich fände das großartig und wünsche mir viel Erfolg. Mit der nächsten Telefonrechnung überweise ich 34 Dollar an eine bodenlose Tasse.

Das war Amerika 1994, ich fand es amüsant, was so alles an Visionen nach oben steigt, wenn einer nur lange genug symbolisch in einer Kaffeetasse rührt. An Bücherschreiben hatte ich nie einen Gedanken verschwendet, ich hielt das damals für gänzlich ausgeschlossen.

Ich hatte die Episode schon lange aus meinem Gedächtnis gelöscht, aber hier bei Jesus, inmitten der unsichtbaren Gestalten aus der geistigen Welt, erinnere ich mich wieder an jenen holprigen Versuch, der Zukunft in die Karten zu gucken.

Mit Rückführung wird es aber erst mal nichts. Jesus weist mich freundlich darauf hin, dass ich Anfänger bin, wir dürfen nichts überstürzen, in der ersten Klasse fängt man ja auch nicht gleich mit Bruchrechnen an. Zur Probe erst mal eine kleine Abnehmmeditation. Er fragt nach meiner Wunschkonfektionsgröße. Auf der Zunge liegt mir 36, aber die geballte Macht der anwesenden geistigen Welt fordert mir Wahrhaftigkeit und Bescheidenheit ab. Ich bleibe Realist und behaupte schlankweg, Größe 40 wäre richtig gut. Er streckt seinen Zeigefinger hoch in die Luft, ich soll mich auf diesen Finger konzentrieren und dazu beständig nur 40 murmeln. Ich fixiere den Finger, der an immer anderen Stellen meines Gesichtsfeldes auftaucht, während ich mantramäßig meine Wunschgröße vor mich hin nuschele. Ich glaube schon fast selbst dran, als er den Finger in seiner Faust verschwinden lässt und das Experiment vorbei ist. Auf einem Zettel, der einen langen Strich aufweist, an dem Kleidergrößen von 46 bis 34 markiert sind, soll ich die just in diesem Moment von mir gefühlte Kleidergröße markieren. Ich gehe intuitiv auf die 40, na bitte.

Jetzt bin ich so weit vorbereitet, dass mich nichts mehr beengt, Jesus schlägt dennoch vor, die Rückführung erst bei unserer nächsten Verabredung anzugehen, zunächst täte mir eine spirituelle Trance gut. Ich habe keine Ahnung, was das ist. Macht aber auch nichts. Was an Jesus liegt, der sympathisch, fröhlich, offen und zu großen Teilen von dieser Welt zu sein scheint.

Ich steige auf eine Liege, Jesus reicht mir eine Art Eisbärfell mit Ärmeln, in das ich hineinrutsche. Aus dem CD-Player kommt ein sanftes Säuseln, das sich steigert, lauter wird, in ein heftiges Dröhnen übergeht, Krachen, Pfeifen, Stampfen. Die Trompeten von Jericho stimmen in den Lärm mit ein. Ich sehe Halbweltboxer in goldenen Umhängen, die sich mit schweißnassen Körpern ihren Weg Richtung Ring bahnen, wo sie vermutlich gleich ordentlich vermöbelt werden. Ich atme schnell, mir wird warm, vielleicht beschleunigt der Krach auch den Puls. Ein bisschen mulmig ist mir schon auch, weil ich nicht weiß, was noch kommt. Ist das jetzt schon die Trance, merke ich nur nichts, weil es mir am nötigen Spirit fehlt?

Der Lärm zieht sich bereits beträchtlich in die Länge, als die Musik plötzlich abbricht. Man hört das Knacken einer CD, und dann passiert es. Mit Macht und ganz leise. Orgelmusik. Und ich fange wie auf Befehl an zu weinen. Kann der arme Jesus nicht wissen, aber das passiert mir bei Orgelmusik immer. Ich muss weinen. Nein, ich muss nicht, ich will. Brauche mich nicht einmal anzustrengen, es läuft wie von selbst. Am Heiligen Abend, wenn von der Empore ein mächtiges »O Du fröhliche« ins Kirchenschiff braust. Geht aber auch im August, wenn ich im Urlaub in einem kühlen Gotteshaus Stille suche und der Küster nur mal eben eine Tonleiter übt. Auf der Liege, während die geistige Welt mich beobachtet, wird es richtig heftig mit dem Weinen, ich will gar nicht wissen, was da von innen nach außen drängt, aber es ist eine Menge.

Als sich die Orgel beruhigt hat, spielt irgendein James-Last-Verschnitt Trostendes, lange genug, um mich wieder einzukriegen. Jesus schiebt mir Taschentücher hin, damit ich das Eisbärenfell nicht gänzlich vollsabbere. Am Schluss hat die Orgel einen weiteren Einsatz, bäumt sich noch einmal volltönend auf, ich kriege einen letzten Tränenschub.

Die Musik ist zu Ende, ich liege ein Weilchen still, beruhige mich. Als ich mich aufsetze, drängen sich ein paar übrig gebliebene Schluchzer nach oben, meine Nase ist voll, ich will mich schnäuzen, Jesus reicht mir eine ganze Packung Kleenex.

Mir fährt ein erschöpftes »O Gott« heraus, er sagt: »Falsch, o Jesus muss es heißen« und ich muss so lachen, dass ich umgehend von der Liege falle, wohl auch, weil ich vergessen habe, wie leicht ich mit Kleidergröße 40 inzwischen geworden bin.

Es gibt bei mir wohl eine Schnelltrasse, die das Innere der Ohrmuschel direkt mit dem Tränenkanal verbindet. Die Verbindung funktioniert nicht immer. Wenn Musicals oder Techno oder Hansi Hinterseer vom Ohr aus Richtung Tränenkanal wollen, passiert nichts, ich mache höchstens das Radio aus. Mit anderer Musik geht es beinahe mühelos.

Nehmen wir Kinderlieder. Ich sitze mit einer Musikerin in einem Hörfunkstudio, sie gibt Gesangsunterricht und lädt Menschen zu öffentlichem Singen ein. Sie hat ein aufklappbares Klavier mitgebracht, wir werden ein Interview über ihre Arbeit machen, sie will ein paar Lieder singen. Die Sendung läuft am frühen Abend, deshalb schlägt sie zur Einstimmung ein Kinderlied vor.

»Weißt du, wie viel Sternlein stehen«. »Das kennt jeder«, sagt sie, »da kann man zu Hause mitsingen.« Habe ich gefühlte 62 Jahre nicht mehr gesungen, aber der Text ist umgehend wieder da. Die Musikerin und ihr Klavier stimmen sich mit der Technik ab, sie spielt zur Probe ein paarmal die ersten Takte an. Weißt du, wie viel Sternlein ste-he-en, an dem bla-au-en Himmelszelt.

Schon während des zweiten Versuchs muss ich dringend mal raus, stehe auf der Damentoilette am Waschbecken und frage mich, wie das gleich gehen soll, wenn es ernst wird, in der Live-Sendung. Es wird in der Tat ziemlich ernst, auf der Schnelltrasse ist viel Verkehr, ich kann meine Tränen nicht zurückhalten, und weil Weinen, verursacht durch ein Kinderlied, nicht so einfach zu erklären ist, ohne den therapeutischen Vorschlaghammer rauszuholen, macht die Musikerin freundlicherweise genau das Richtige und redet, ohne Punkt und Komma. Bis ich mich wieder eingekriegt habe.

Dieselbe Frau lädt in Köln zum öffentlichen Singen

ein, in kleinen Kneipen, in großen Hallen. »Frau Höpker bittet zum Gesang« heißen ihre regelmäßig ausverkauften Abende.

Sie klappt dort ihr tragbares Klavier auf, wirft die Texte mit einem Beamer an die Wand, und es geht los. Braucht nur ganz kurze Zeit, bis sich die große Masse Mensch traut, lauthals alles zu geben. Hunderte singen miteinander alte und neue Hits, Volkslieder, Kinderlieder, Ohrwürmer.

Ich bin dabei, stehe mit Freunden in einer sehr dunklen Ecke, die ich mit Bedacht gewählt habe. Dort fällt es nicht auf, wenn ich praktisch durchheule. Zumal ich keinen Plan habe, wie ich erklären sollte, warum ich schon beim Refrain von »Bolle reiste jüngst zu Pfingsten« mit dem Weinen anfangen muss.

Warum? Ist es ein Zurücksehnen in jene Zeit vor geschätzten fünfundfünfzig Jahren, als man den »Bolle« auf Schulwandertagen fröhlich und ohne Tränen geschmettert hat. Oder sind die Tränen ein Symbol der Dankbarkeit? Dass ich spüren kann, welch weiten Weg ich seit jener Schulzeit zurückgelegt habe? Dass er zwar voller Irrungen und Wirrungen war, mir wirkliche Schicksalsschläge aber erspart geblieben sind? Dass es mir gut geht? Sind meine Tränen die gefühlte Dankbarkeit für das Hier und Jetzt?

29

Warum war ich viele Jahre meines Lebens so versessen darauf, der Zukunft auf die Spur zu kommen? Ich wollte unbedingt wissen, was kommt. Nicht morgen oder in einem Monat, das konnte ich gerade noch überblicken. Aber was würde in einem halben Jahr, im nächsten, in fünf Jahren sein? Würde alles gut bleiben/werden/sein? Wäre ich glücklich? Glücklicher als jetzt, in diesem Augenblick?

Glück, das war ein wildes Sammelsurium aus Mann, Liebe, Geld, Reisen, Erfolg, Be- und Geliebtsein. Die Reihenfolge ließ sich je nach Lebens- und Stimmungslage willkürlich durcheinanderschütteln. Nur große und kleine Katastrophen sollten mir bitte zukünftig erspart bleiben. Wobei ich nicht wirklich eine Vorstellung davon hatte, was mich glücklich machen würde. Geld ohne Liebe, Mann ohne Geld, Mann mit Geld, aber ohne Liebe, Liebe ohne Geld ... Ruhelos, gehetzt, aufgescheucht kommt mir das im Rückblick vor. Als ich dieses Buch vor knapp zwei Jahren zu schreiben begann, hat mich die Ungewissheit mächtig umgetrieben, was das Leben noch mit mir vorhaben würde, ob es überhaupt noch etwas vorgesehen hat. Schließlich war ich jetzt bald Mitte sechzig, das bedeutete alt, langsam ging es auf die Zielgerade zu. Was würde noch kommen, was könnte noch gehen?

Ich möchte gern benennen, was mir seither passiert ist, aber ich finde keinen gescheiten Begriff für die Veränderung, die ich erlebe. Ich will mich nicht in die endlose Schlange all jener einordnen, die vom Buddhismus schwärmen oder sich ihm gänzlich verschrieben haben. Ich will mir nicht den Nachttisch mit Lebensratgebern vollladen, endlich auch mit Yoga anfangen und mir zweimal im Jahr irgendwo an der Mosel bei einer Ayurveda-Kur Öl auf die Stirn gießen lassen.

Besser: Ich will es jetzt nicht. Kann gut sein, dass ich in ein paar Jahren mit Hingabe den Herabschauenden Hund gebe, dass ich ohne heißes Fett nicht mehr auskomme, mich ganz vorn in die buddhistische Menschenschlange einreihe. Erst mal aber will ich raus aus der Masse, herausfinden, was für mich, und nur für mich, gut und richtig sein könnte.

Thich Nhat Hanh gilt als bedeutendster Meister der buddhistischen Lehre neben dem Dalai Lama. Thich Nhat Hanh ist fast neunzig Jahre alt, floh im Vietnamkrieg nach Europa, lebt und praktiziert seit vielen Jahren in einem Kloster im Süden Frankreichs. Er hat etwas gesagt, was mich bestärkt:

»Die Menschen im Westen mögen unsere Lehre, weil sie nicht durch viele Rituale beschwert ist, sie ist nicht kompliziert, überladen mit Theorie. Es geht um das tägliche Leben. Wir tragen den Buddhismus zwar im Namen, aber Du musst kein Buddhist werden, um unsere Praxis anzuwenden. Wir nennen sie Achtsamkeit, sie ist allgegenwärtig. Wir Menschen haben keine große Begabung, im Augenblick zu bleiben. Aber in der Gegenwart zu leben, ist eine Art von Energie, die Du in dir selbst erschaffen kannst. Sie hilft, Anspannung und Trauer loszulassen und das Leben mehr zu genießen. Wer achtsam ist, kann mit Leid, mit Wut, mit Verwirrung besser umgehen.«

Das gefällt mir. Achtsamkeit.

Was ist hier und jetzt nicht in Ordnung?

Ich sitze hier, schreibe diese Zeilen, habe noch keine Ahnung, wie ich sie zu Ende bringen werde. Ich könnte jetzt beginnen, daran zu zweifeln, ob dieses Kapitel überhaupt sinnvoll ist. Es ist durchaus schwierig, zu beschreiben, warum etwas sehr Simples wie Achtsamkeit sehr gut tut. Hat etwas von einem Stromkreis, bei dem die Energie, sobald er unterbrochen wird, nicht mehr fließen kann. Im übertragenen Sinne: Ich werde ungenau in meinen Beschreibungen, finde nur unzureichende Worte, komme ins Faseln, wenn ich nach außen gehe, um Fremden zu beschreiben, was Achtsamkeit bewirkt.

Wie könnte ich beschreiben, dass ich schon eine Weile sehr leise und von mir beinahe unbemerkt glücklich bin? Es kommt nicht mit großem Harfenspiel daher, dieses Glück, es hat sich in aller Stille ausgebreitet. Und hat zur Folge, dass ich nicht mehr ganz so drängelnd und fordernd durchs Leben haste. Sich die Fragen nach dem Wohin, dem Wie-lange-noch, Was-kommt-noch allmählich zurückgezogen haben.

Das Ziel ist jetzt.

Das kann im täglichen Leben nicht gehen? Stimmt, nicht am Anfang, da scheint es schier unmöglich, auch nur ein paar Sekunden innezuhalten, ohne sich sofort wieder ablenken zu lassen und an irgendetwas zu denken. Man kann Achtsamkeit aber trainieren.

Wie zum Beispiel das Laufen auch. Am Anfang meiner Jogginglaufbahn konnte ich nicht mehr als anderthalb Minuten mit erhöhter Geschwindigkeit geradeaus laufen. Zwanzig Jahre später schaffe ich das locker eine Stunde, ich kann das noch gut steigern. So ähnlich trainiert man Achtsamkeit, jeden Tag und jeden Tag ein bisschen länger. Sich dabei auf den Atem zu konzentrieren, hilft enorm, das klappt bei mir nicht immer. Ich vergesse das bewusste Atmen, aber die Achtsamkeit ist dennoch da.

Ich »trainiere« seit einem Jahr, ich gehe zu Georg, der Achtsamkeit mühelos und kinderleicht vorlebt und in Kursen lehrt. Jener Georg, den ich am Morgen vor meinem Aufbruch ins Kloster getroffen und dem ich robust mal eben erklärt habe, dass er mir doch wohl nicht sagen wolle, wie sich die Welt drehe. Schließlich sei ich schon 65, er dagegen knapp über vierzig. Warum er denn unter diesen Umständen glaube, besser über das Leben Bescheid zu wissen als ich? Ach, was möchte ich mich jetzt noch mauseklein machen, wenn ich an diesen Dialog denke.

Georg ist seit einiger Zeit mein Begleiter. Mein Lehrmeister? Meide ich, dieses Wort. Lehrmeister klingt streng, nach lernen, sich anstrengen, geprüft werden, sich bewähren müssen. Nichts davon ist richtig. In seinen Seminaren, seinen Einzelstunden wird viel gelacht, ja gut, auch geweint, dafür fühle ich mich persönlich verantwortlich. Keiner muss verbissen um Achtsamkeit, um den Augenblick kämpfen. Macht nichts, wenn das am Anfang nicht mühelos gelingt. Stattdessen wird einem ziemlich schnell bewusst, wie blitzschnell man sich in seinem Gedankenirrsinn verheddert, nicht im Augenblick bleibt, sondern bereits den Donnerstag der nächsten Woche plant. Es sind die Gedanken, die vorauseilen oder sich in Vergangenem verlieren, den Augenblick, das Jetzt überspringen sie.

Mein Lieblingssatz im Achtsamkeitsprogramm von Georg heißt »Was ist hier und jetzt nicht in Ordnung?«.

Der Augenblick zählt.

Und Glück und Leid gehören zusammen.

»Im Vietnamkrieg«, erzählt Thich Nhat Hanh, der Mönch, in einem Interview, »habe ich viel Leid gesehen. Damals baute ich mit anderen Mönchen in der demilitarisierten Zone ein Dorf für Flüchtlinge. Kurz darauf wurde es von den Amerikanern bombardiert, weil sich Vietcong dort versteckten. Also bauten wir es wieder auf. Wieder wurde es bombardiert. Und wir bauten es wieder auf. Beim dritten Mal diskutierten wir. Würde es sich lohnen, das Dorf erneut aufzubauen? Meine Meinung war, wenn wir jetzt aufgeben, werden die Menschen jede Hoffnung verlieren. Also errichteten wir die Unterkünfte wieder. Ein drittes Mal, ein viertes Mal. Und schließlich auch ein fünftes Mal.

Wir bemühen uns, Leid in Gutes zu verwandeln. Auch die Lotusblume braucht Schlamm, um zu gedeihen. Sie wächst nicht auf Marmor. Man muss erkennen, dass es eine enge Verbindung zwischen Leid und Glück gibt. Wer vor dem Leid wegläuft, kann kein Glück finden.«

Georg, mein Achtsamkeitslehrer, übersetzt für Thich Nhat Hanh, wenn der einmal im Jahr nach Deutschland kommt und ein Seminar gibt. Georg hat als politischer Journalist im Fernsehen gearbeitet. Wollte gut sein, musste unter Zeitdruck liefern, hat sich im Hamsterrad so lange verausgabt, bis Körper und Kopf sich verweigert haben. Er hat, was er besaß, verkauft. Was ihm noch wichtig war, hatte Platz in einem Rucksack, er ging nach Südfrankreich, in das Kloster des Mönchs aus Vietnam, blieb ein paar Jahre, kam zurück nach Köln. In fröhlicher Gelassenheit lehrt er jetzt Hamsterradmenschen wie mich die Schönheit des Augenblicks.

In dem Interview, aus dem ich zitiert habe, fragt der Journalist den Mönch am Ende: »Sie klingen durch und durch zufrieden. Sie sind nie unglücklich?«

Gute Frage, denke ich, wüsste ich auch gern, ob sich mit genügend Achtsamkeit das gelegentliche eigene Unglücklichsein eines Tages wie von selbst erledigt hat.

Der Mönch lacht.

»Sie haben mir nicht gut zugehört, junger Mann. Ohne Trauer und Leid gibt es kein Glück. Auch ich kann keine Lotusblüte auf Marmorboden züchten.«

30

Was ist hier und jetzt nicht in Ordnung?

Hier und jetzt ist nichts in Ordnung. Daran gibt es auch nichts zu deuteln, hier herrscht Chaos. Und Chaos ist bekanntlich das Gegenteil von Ordnung.

Es ist morgens halb fünf, ich stehe auf dem Düsseldorfer Flughafen, geschätzte dreißigtausend andere Reisende auch, die vom Regen in die Sonne wollen. Die Kaffeebars sind brechend voll, Menschen und Flughafenpersonal hasten umher, jeder rempelt jeden an. Man steht sich im Weg, tut nichts, um das zu ändern, soll doch der andere die zwei Schritte beiseitegehen, ich war schließlich zuerst da. Bevor man diese Hektik hinter sich lassen kann, muss man durch ein Nadelöhr.

Zwei kleine Drehkreuze, bewacht von zwei völlig überforderten Menschen. Sie müssen jede einzelne Bordkarte über eine elektronische Schranke schieben, damit sich das Drehkreuz bewegen lässt und der Weg Richtung Gates und Sicherheitskontrolle frei wird.

Die beiden Angestellten stehen auf völlig verlorenem Posten, vermeiden geflissentlich den Blick nach vorn. Dort würden sie zwei Monster-Menschenschlangen sehen, die von Minute zu Minute länger und damit auch angriffslustiger werden. Mindestens dreihundert Meter misst jede Schlange. Nein, ich übertreibe nicht, auch Frauen wissen, wie lang dreihundert Meter sind, vor allem joggende Frauen, denen der Trainer auf der Zielgeraden sagt, komm, das schaffst du noch, das sind höchstens noch dreihundert Meter.

Die Rücksichtslosen drängen sich nach vorn, was die Lämmer, die sich geduldig angestellt haben, immer wieder um Meter zurückwirft. Ich gehöre zu den Lämmern, drohe auszurasten, stumm erst mal, laut traue ich mich nicht. Es geht nicht voran, ich denke, ich könnte den Flug verpassen, und dann ist mein Koffer in Spanien und ich bin noch immer Teil einer Monsterschlange, die vom Düsseldorfer Flughafen Besitz ergriffen hat. Ich will nicht, nicht den Lärm, die Unordnung, ich will hier nicht stehen … ich versuche es mit Atmen, sehr bewusst, sehr tief.

Was ist hier und jetzt nicht in Ordnung?

Im Hier und Jetzt, in diesem Augenblick jedenfalls, habe ich mein Flugzeug noch nicht verpasst, hinter mir, vor mir, neben mir sind ähnlich genervte Menschen, wir drängeln mit vereinten Kräften die Vordrängler nach hinten. Das ist im Prinzip ganz in Ordnung.

Ich zwinge meinen Blick nach oben, die Decke des Düsseldorfer Flughafens hat eine sehr lichte Höhe, ist eine architektonisch ungewöhnlich interessante Konstruktion. Was wohl den Architekten bewegt haben mag, als er statt Stahlbeton … Ich denke mir noch mehr solchen baustatischen Schwachsinn zusammen und weiß genau, dass ich währenddessen auf Zehenspitzen um einen Vulkan tanze. Um meinen eigenen. Ich könnte jederzeit explodieren, denn ich will nicht mehr warten, die Schlange soll sich jetzt sofort auflösen, ich will ins Flugzeug und weg.

»Kann diese Glocke fliegen?«

Dieser Satz aus dem Achtsamkeitskurs hat sich plötzlich in meinen zornigen Gedanken nach vorn geschoben. Jener Satz, mit dem es gelingt, Dinge und Menschen auf wundersame Weise zu erden. Die Glocke wird zu Beginn und am Ende einer Meditation geschlagen. Sie kann nur klingen, die Glocke, mehr nicht. Auf keinen Fall wird sie fliegen.

Ich will, dass sich jetzt sofort auf diesem Flughafen alles zum Guten wendet, Ruhe einkehrt und ich ohne Mühe zu meinem Flugzeug komme. Das wird nicht passieren, das ist völlig ausgeschlossen. Denn so wenig wie eine Glocke fliegen kann, wird sich die Flughafensituation binnen weniger Minuten entspannen können. Es gibt Dinge, die nicht in meiner Hand liegen. Die ich nicht ändern kann. Was ich ändern kann, ist meine Einstellung zu ihnen.

Atmen hilft, den Augenblick zu spüren, nur das wahrzunehmen, was hier und jetzt passiert. Den kleinen Jungen zum Beispiel, der seine Spielzeugautos mit Inbrunst um die Beine der Wartenden bugsiert und ein Formel-1-Rennen veranstaltet. Keine fliegende Glocke in Sicht, also atme ich ein bisschen, schaue mir die gewaltige Hallenkonstruktion in Ruhe an, beglückwünsche im Stillen die Flughafenerbauer zu ihren schönen Ideen, erreiche schiebend und stoßend irgendwann das Nadelöhr, sitze rechtzeitig im Flugzeug, alles ist hier und jetzt in Ordnung. Selbst als Stunden später die notorischen Sofort-nach-der-Landung-Aufsteher den Gang verstopfen und mir ihre bereits geschulterten Rucksäcke ins Gesicht rammen, selbst dann lasse ich mich, schwer atmend, nicht aus der Ruhe bringen.

31

Meine Vorstellung von Omas, wie man heute die über sechzigjährigen Frauen salopp nennen darf, ist von gestern. Orientiert sich an den Erinnerungen, die mir meine Omas hinterlassen haben. Sie waren Stiefomas. Die leiblichen, die echten, habe ich nie kennengelernt, sie wurden im vorletzten Jahrhundert geboren, in einer Zeit, in der man eine Oma noch Großmutter nannte. Die neue Zeit haben sie nicht mehr erlebt.

Meine erste Stiefoma, die Oma meiner jüngeren Schwester, habe ich sehr gemocht, sie mich, glaube ich, auch, obwohl ich doch nur das »Stiefenkelchen« war. Die Mannheimer Oma war eine Meisterin im Kuchenbacken, köstliche Pflaumenkuchen, Dampfnudeln, Schwarzwälder-Kirsch-Torten. Sie hat auch immer etwas für meinen Vater mitgebacken, den armen Herrn Westermann, der von seiner Frau verlassen worden war, weil die sich in Omas Sohn verliebt hatte und nun ihre Schwiegertochter war.

Die Mannheimer Oma war in zweiter Ehe mit Opa Heinrich, einem ehemaligen Lokführer der Reichsbahn, verheiratet. Als Rentner hatte er freie Fahrt, bekam jeden Monat ein beträchtliches Kontingent an Bahngutscheinen. Oma, die Unternehmungslustige, war stets auf Achse, bevorzugt in Bayern, von wo sie gern mit einer Ladung maßgeschneiderter Dirndl heimkehrte. Was Opa Heinrich zum einen wegen der Schneiderrechnung, zum anderen wegen Omas im Dirndl fest verschnürten, üppig wogenden Busens an den Rand einer veritablen Herzattacke brachte. Wenn ich morgens manchmal unerwartet klingelte, um meine Schwester abzugeben, zeigte sie sich wortkarg, ihr Gebiss lag noch im Badezimmer in einem Wasserglas. Oma Mannheim war im Krieg ausgebombt worden, ihr Retter war Opa Heinrich gewesen, er hatte in alle Richtungen gute Kontakte. Sie nahm ihn und die Wohnung, die er besorgte. Zwei Zimmer, Küche, Bad im Erdgeschoss, Omas Sohn aus erster Ehe bekam sein eigenes Zimmer, der andere Raum war Wohn-/Schlaf-/Esszimmer in einem.

Opa Heinrich saß tagsüber am zur Straße hin geöffneten Fenster, zog an seiner Pfeife, wünschte den Vorübergehenden einen Guten Tag, tauschte sich mit den Nachbarn aus, die in den gegenüberliegenden Häusern in ihren Fenstern lagen. Auf den Ehebetten thronten gewaltige Kissen, ich glaubte, man nannte sie Paradekissen, so sahen sie auch aus, mit dem akkuraten Knick genau in der Mitte. Wenn Oma mit Eimer und Schrubber um Opa Heinrichs Beine wuselte, fluchte er still vor sich hin. Dass Oma von seiner Pension, die sie verwaltete, heimlich größere Teile an ihren Sohn weitergab, machte ihn, wenn er dahinterkam, rasend. Dann ging er schon morgens in die Eisenbahnerkantine und kam erst spät am Abend wieder zurück.

Parfüm und Lippenstift hat Oma Mannheim nur an besonderen Festtagen benutzt. Dass sie besonders waren, war weithin zu erkennen, weil Oma beim Friseur gewesen war und »was Gutes« angezogen hatte. Omas Kleider gingen immer bis an die Waden, sie trug fleischfarbene Stützstrümpfe, ihre Füße steckten in Schuhen aus der orthopädischen Abteilung. In einer langen Hose habe ich sie nie gesehen. Als ich Oma Mannheim kennenlernte, war sie so alt, wie ich es heute bin: 65.

Meine Mutter ließ sich schnell wieder von Omas Sohn scheiden, er zog zu seiner Mutter zurück. Der arme Herr Westermann war weiterhin wohlgelitten, die Versorgung mit Kuchen riss nicht ab.

—

Ein paar Jahre später bekam ich wieder einen neuen Stiefvater und damit noch mal eine neue Oma. Sie kam aus Westfalen, was zu einer Revolution in unserer Küche führte, sobald die Bocholter Oma zu Besuch kam. Sie kochte täglich die Lieblingsgerichte ihres Sohnes, womit sie bereits in aller Herrgottsfrühe begann. Um sieben Uhr morgens roch es bei uns im ganzen Haus schon heftig nach Sauerkraut, das bis zum Nachmittag vor sich hin kochte, bis es schließlich alle Geschmacksstoffe verloren hatte und mit fettem Bauchfleisch und den aus der westfälischen Heimat mitgebrachten Mettwürsten angedickt wurde. Beim Kochen und auch sonst trug Oma Bocholt diverse Variationen geblümter Kittelschürzen, darunter einen Hüfthalter, der manchmal noch morgens in der Frühe im Badezimmer über der Leine hing, schwer wie eine Ritterrüstung.

Wenn wir sonntags in die Konditorei gingen oder auch mal in eine Gaststätte, trug sie ein Kleid mit weißem Spitzenkragen und Parfüm aus einem Fläschchen, das so aussah, als sei es noch Vorkriegsware.

Oma Bocholt hatte ein zerknittertes, gutmütiges Gesicht. Sie war sehr klein und sehr breit, ihr Ehemann dafür weniger als eine halbe Portion, ein Strich in der Landschaft mit einer dicken Brille. Ich habe es gemocht, wie rücksichtsvoll und liebenswürdig die beiden Eheleute miteinander umgingen.

Meine jüngste Schwester war ihr Augenstern, schließlich war sie das Original-Enkelkind. Mit meiner anderen Schwester und mir hatten Oma und Opa Bocholt zwei Instant-Enkelkinder bekommen. Falls sie das schwierig fanden, haben sie es uns nicht merken lassen.

Wenn ihr Sohn, mein Stiefvater, nach Oma Bocholts Meinung zu streng gewesen war, konnte sie mit einer heftigen Umarmung blitzschnell aus der Deckung kommen. »Der Papi meint das nicht so«, war der Standardsatz, mit dem sie mich, wenn er nicht hinguckte, an ihren großen Busen drückte.

Die Omas von heute tragen Jeans und Lippenstift, und wenn sie die Wahl haben zwischen einem Urlaub in Husum mit Badelatschen oder einer Reise nach Südfrankreich, könnte es sein, dass sich die Mehrzahl für Südfrankreich entscheidet.

Meine Mutter hätte das ganz sicher getan. Sie war zeitlebens auf ihr Äußeres bedacht, ging viel aus, machte Reisen, auch wenn das Geld knapp war, hat geflirtet, was das Zeug hielt, und die Bezeichnung Oma, sie war ja schon über sechzig, war ihr ein Graus. Macht mich bloß nicht zur Oma, hat sie uns drei Töchtern schon eingeschärft, als wir noch junge Frauen waren. Enkelkinder hätte sie liebend gern gehabt, aber Oma wollte sie nicht sein. Hinter diesem Begriff verbarg sich für sie ein Rattenschwanz an Attributen von orthopädischen Schuhen über Hüfthalter bis Haftcreme für die dritten Zähne. Alles Dinge, mit denen sie nichts zu tun hatte.

Meine Mutter war schon damals eine junge Alte. Die jungen Alten, den Begriff haben die Altersforscher von heute eingeführt, meine Mutter wäre an die Decke gegangen, hätte sie das gehört.

Dreimal war sie in ihrem Leben verheiratet, ein viertes Mal wäre durchaus eine Option gewesen, es gab einen Kurschatten, den sie kennengelernt hatte, als sie sich nach fünfzig Jahren das Rauchen abgewöhnen wollte. Aber warum sich vom letzten Ehemann scheiden lassen? Zu mühsam, zu teuer, ging doch auch so. Die jüngste Tochter war erwachsen, also sich fix trennen, mit dem Neuen in einer anderen Stadt zusammenziehen. Mein Stiefvater hat übrigens auch nicht lange gefackelt, eine Anzeige aufgegeben, eine neue Liebe gefunden, mit der er noch bis zu seinem Tod zusammenlebte.

Alt? Der Begriff kommt mir für beide damals wie heute nicht in den Sinn. Meine Mutter war eine Draufgängerin, ich habe es heimlich immer ein wenig bedauert, dass sie nicht in einer Zeit lebte, in der die Babypille schon erfunden war und alleinerziehende Mütter nicht schief angesehen wurden.

Ich hatte nie vor zu heiraten, ich hatte durch meine Mutter zu viele Ehen erlebt, in denen es nun mal gar nicht funktioniert hatte.

Außerdem wurde ich in den Siebzigerjahren sexuell erwachsen, wo es als undenkbar spießig galt, selbst jahrelanges Zusammenleben durch eine Heirat zu legalisieren.

Es ist schade, dass ich nie mit meiner Mutter darüber reden konnte, warum sie sich genau diese Ehemänner ausgesucht hat. Was sie erst an ihnen geliebt und schließlich abgestoßen hat. Die Auswahl war interessant, lässt zumindest darauf schließen, dass sie nicht so recht wusste, was sie wollte. Der erste Ehemann war dreißig Jahre älter, der zweite vier Jahre jünger. Beim dritten passte das Alter, aber sonst nichts.

Meine Lebenspartner hat sie immer sehr genau beobachtet. Wollte sie sehen, ob ich ähnliche Fehler wie sie machen würde? Wenn sie meine Freunde kennenlernte, hat sie nicht im Entferntesten versucht, sich als meine Mutter oder gar potenzielle Schwiegermutter zu präsentieren. Sie war Frau, attraktiv obendrein, mehr fand sie, war nicht nötig. Das hat sich auch nicht geändert, als sie alt wurde. Alt?

Sie ist mit 64 Jahren gestorben. In Todesanzeigen nennt man dieses Alter »zu früh«. Weil 64 Jahre zu wenige für ein ganzes Leben sind? Weil man mit 64 Jahren noch viel zu jung ist, um zu sterben?

Meine Mutter hat nicht mehr erlebt, wie ihre älteste Tochter mit 51 Jahren beschloss, doch eine Ehe zu wagen. Mit einem jüngeren Mann. Auch für ihn die erste Ehe. Zwei bis dahin in ihrem Leben sehr Unabhängige, sehr Autonome wollten sich zusammentun. Liebe auf einen ersten, sehr langen Blick.

Das Magazin der »Süddeutschen Zeitung« plant ein ganzes Heft über ungewöhnliche Lieben. Über Menschen, die sich sehen, auf Anhieb mögen, sich aber doch aus den Augen verlieren, Jahre später unerwartet wiedersehen und sich nicht mehr loslassen. Ich habe meinen späteren Ehemann auch zweimal getroffen. Beim ersten Mal ist nichts passiert. Zwanzig Jahre später schon. Da stand er wieder vor mir und diesmal blieb er. Besondere Männer erfordern besondere Maßnahmen. Deshalb habe ICH ihm nach wenigen Wochen einen Heiratsantrag gemacht.

Ich will dich heiraten, du mich auch?

Ganz so platt habe ich es nicht gemacht, aus gutem Grund. Ich wollte es vorsichtiger formulieren, weil ich mir nicht ganz sicher war, ob ich mir nicht doch ein Zögern, ein »Vielleicht« einhandeln würde.

Dreizehn Jahre später also hat die SZ-Redaktion über ein paar Ecken von dieser Geschichte gehört, fragt an, ob ich nicht Lust habe, davon zu erzählen. Meine Lust ist eher verhalten, nach so langer Zeit kann ich das Außergewöhnliche unseres Kennenlernens nicht mehr recht nachvollziehen. Auf Nachfragen des Redakteurs erzähle ich am Telefon die Details eher zögerlich, bis ich allmählich zurückrutsche in die Vergangenheit und zeitgleich in der Gegenwart begreife, dass ich alles richtig gemacht haben muss, wenn es sich nach dreizehn Ehejahren immer noch so gut anfühlt:

»Ich habe den Mann, der später mein Ehemann werden sollte, Anfang der Achtzigerjahre kennengelernt. Er hat mir gefallen und ich ihm auch. Aber die Zeit war da noch nicht reif.

Ich glaube an solche Dinge: dass manches erst passiert, wenn es passieren soll. Jedenfalls habe ich ihn danach zwanzig Jahre nicht gesehen. Und als er dann vor mir stand, habe ich ihn nicht wiedererkannt. Zwei Monate später habe ich ihn gefragt, ob er mich heiraten will.

Aber von vorn: Jochen und ich haben uns in Marl kennengelernt, ich saß in der Jury eines Wettbewerbs des Arbeitsministeriums. Er war für die Öffentlichkeitsarbeit zuständig. Wir haben uns gut verstanden, wir mochten uns. Abends sind wir zusammen mit dem Zug zurückgefahren. Er musste nach Düsseldorf, ich nach Köln. Als der Zug in Düsseldorf hielt, blieb er sitzen, damit wir noch ein bisschen Zeit zusammen hatten. In Köln haben wir uns verabschiedet – und er hat den nächsten Zug zurück genommen. Ich dachte damals schon: was für ein guter Typ. Aber wir beide waren in festen Beziehungen.

Heute weiß ich, dass Jochen während der nächsten neunzehn Jahre immer mal wieder an mich gedacht hat. Ich bekam jedes Jahr eine Weihnachtskarte von ihm, bis ich Anfang der Neunzigerjahre in die USA zog. Dann gingen die Karten zurück – »unbekannt verzogen«.

1999 habe ich ein Buch geschrieben und meine ersten Lesungen gemacht, eine davon in Münster. Nach der Lesung ging ich mit den Buchhändlern noch in ein Lokal, es war September und ein sehr warmer Abend. Wir sitzen also draußen, an einem belebten Platz, und da sehe ich einen Mann auf einem cremefarbenen Fahrrad vorbeifahren, weißes Hemd, Jackett und eine Krawatte, die ihm lässig um den Hals baumelt. Ich hab ihn angeguckt und sofort Wehmut verspürt. Im nächsten Leben, dachte ich, suchst du dir genau so einen Mann. Keine Affären, kein Umherirren, sondern einen wie ihn. Dabei war ich sicher: Der hat sein Glück schon gefunden, ist verheiratet. Zwei Kinder mindestens. Ich habe mich gezwungen, nicht mehr hinzugucken, weil es mich traurig gemacht hat. Und plötzlich steht er an unserem Tisch, sieht mich an und sagt: »Hier steckst du also.«

Was ich nicht wusste: Jochen lebte mittlerweile in Münster und hatte das Plakat für die Lesung gesehen, aber keine Karte mehr bekommen. Abends hat er die Kneipen der Stadt abgesucht, eine nach der anderen, bis er mich gefunden hatte.

Er hat sich zu mir gesetzt. Und ich hatte minutenlang keine Ahnung, wer er war und woher ich ihn kannte. Er ließ mich raten und hat das sichtlich genossen.

Irgendwann dämmerte es mir: War da etwas mit einem Zug? Vor vielen Jahren? Die Buchhändler saßen verdutzt da, sie waren plötzlich außen vor, und das haben sie auch begriffen und sind bald gegangen. Der Abend endete um fünf Uhr morgens vor meinem Hotel. Aber es ist nichts passiert. Wir wollten vorsichtig miteinander sein, nichts überstürzen, uns Zeit lassen.

Zwei Wochen später haben wir uns wiedergetroffen, und als er seinen Arm um mich gelegt hat, war ich wieder 16. Das ist jetzt noch aufregend, wenn ich daran denke.

Es ist oft schwer zu sagen, warum man einen Menschen liebt.

Ich glaube, wenn ich Jochen heute ansehe, dann sehe ich immer noch den Mann mit der Krawatte auf dem cremefarbenen Fahrrad. Und dann spüre ich Liebe.

Zwei Monate nach dem Wiedersehen habe ich ihm

einen Heiratsantrag gemacht. Wir waren in Italien, saßen zu zweit am Küchentisch im Haus von Freunden, haben Scampi gegessen und eiskalten Weißwein getrunken. Auf dem Tisch lag Zeitungspapier für die Schalen, die Gläser waren fettverschmiert, mein Gesicht wahrscheinlich auch, ich glaube nicht, dass ich noch besonders attraktiv aussah. Ich dachte nur: jetzt oder nie. Und habe gesagt: »Ich muss dich was fragen, aber ich fühle mich wie im Schwimmbad auf dem Zehn-Meter-Brett, und ich weiß nicht, ob Wasser im Becken ist.« Er hat mich angeschaut und gesagt: »Spring ruhig. Das Becken ist randvoll.«

Ein Mal geheiratet und bei dem einen geblieben. Schon dreizehn Jahre lang. Ich habe es anders als meine Mutter gemacht. Was würde sie heute, mit 87 Jahren, dazu sagen? Wäre sie überrascht? Ein bisschen wehmütig, dass ihr das nicht vergönnt war, gleich beim ersten Mal den für sie Richtigen zu finden?

Als wir damals in Italien geheiratet haben, war das Zahlenspiel, wie alt ich bei meiner goldenen Hochzeit sein würde, ein gern wiederholter Scherz. Ich wäre dann hundertzwei. Ich arbeite darauf hin.

Neulich habe ich in unserer Tageszeitung eine Anzeige gesehen, die mich noch eine Weile beschäftigt hat. Weil sie, ein bisschen ungelenk zwar, aber voll aufrichtiger Zuneigung, in wenigen Worten sehr ehrlich davon erzählt, was es bedeutet, sich viele Jahre aufeinander einzulassen und eben nicht davonzulaufen.

25 Jahre

Hallo Jutti,
zur Silberhochzeit alles Liebe.
Es waren schlechte, aber mehr gute Zeiten.
Und unsere vier tollen Kinder.
Ich liebe Dich
Dein Rudi

32

»Als hätte jemand sie mit vorgehaltener Waffe in diese Sendung geschickt«, schrieb der Fernsehkritiker einer Tageszeitung im Juli 1996, als »Zimmer frei« begann. Das war, verglichen mit dem, was man sonst noch in den Zeitungen über meine ersten Sendungen lesen konnte, noch harmlos.

Vom Moderationspult einer minutiös vorgeplanten Regionalsendung, der »Aktuellen Stunde«, geriet ich in eine Unterhaltungsshow, in der Anarchie herrschte, Ordnung im Ablauf nicht vorgesehen war, der Moderator mit Salzstangen warf, wenn er genug hatte von den menschelnden Fragen seiner Mitmoderatorin.

»Eine Frau, die in ihr Konzept gepresst blieb wie in ihr orangefarbenes Jäckchen«, eine Frau, die es auch heute noch bei ihrem Auftritt nicht schafft, wie ihr Kollege federleicht und souverän, den anmutigen Piaffen eines Dressurpferdes gleich, aus der Bühnendeko zu tänzeln, um dann den Raum samt Publikum mit eleganten Armschwüngen für sich einzunehmen.

Bei mir sieht es anders aus: »Sie bewegen sich wie ein Roboter, bei dem man ein paar Teile vergessen hat«, schrieb mir ein Zuschauer.

»Hör auf, Du kannst das nicht«, rieten damals Freunde. Kollegen meinten, von diesem persönlichen GAU würde ich mich nie mehr erholen, mein Ruf als seriöse Journalistin sei ohnehin schon ramponiert, wenn ich mir, wie bei einem dieser »unsäglichen Spiele« geschehen, drei Liter Sprühsahne freiwillig in den geöffneten Mund und auf das orangefarbene Jäckchen spritzen würde.

Ich war zu Beginn von »Zimmer frei« nicht nur eine ernsthafte Journalistin, ich war auch schon 48, für damalige Fernsehverhältnisse erst recht eine alte Frau. Es sprach alles dafür, dass ich einen schweren Fehler machte, mehr als beschädigt aus diesem Sommerexperiment »Zimmer frei« herausgehen würde.

Ich passte in kein gängiges Unterhaltungsfernsehen-Format, weil ich nur die sein konnte, die ich war. Ich habe mich fürs Fernsehen nicht verstellt, weil ich es nicht kann. Es gelingt mir nicht. Wenn ein Gast richtig prominent war, hat man mir meinen Respekt angemerkt. Tut man auch heute noch. Es war nie und ist nicht mein Ziel, eine beißende, zuschnappende, kritische Fragestellerin zu sein. Ich zeige Mitleid, wenn ich es spüre, und mache mich mit einer Sache gemein, wenn ich finde, dass es eine gute ist. Ich habe im Fernsehen kein anderes Lachen als auf meiner eigenen Party, und wenn ich mich ärgere, kann ich es nur schlecht verbergen.

Das Auffälligste an mir war und ist, dass ich normal bin. Kein Unterschied zum richtigen Leben. Wenn ich mit jemandem am Küchentisch sitze, dann will ich wirklich von ihm wissen, warum sein Lieblingsessen Kartoffelbrei mit Senfsoße ist.

Wie schon beschrieben, erzählt Götz Alsmann gern vor Publikum, liebevoll, aber auf das einsetzende Gelächter durchaus spekulierend, von meinen drei Lieblingsthemen: schlechtes Essen, schlechter Sex, Tod.

Wenn man das weiter fasst und zum schlechten Sex auch den guten nimmt, die Leidenschaft, die Lust, und die Liebe mitsamt ihrem gelegentlichen Scheitern, beim Tod die Angst davor einbezieht, aber auch das Leben, das Glück, das man haben kann, ebenso wie das Unglück, den Glauben, das Leid, das Alter, die Zweifel und die Enttäuschung, das Leben danach und einiges andere, das ich spannend finde, dann hat er sogar recht.

Es sind die Dinge des Lebens, die mich interessieren, und wenn man die in robuster Alsmannscher Zeitrafferform auf den Punkt bringen will, dann von mir aus auch gerne unter Essen, Sex, Tod.

Mein Plus ist, dass ich mich nicht vor Kameras fürchte, auch nicht, wenn das rote Licht brennt, ich bin nie aufgeregt, höchstens hoch konzentriert, dann aber eher entspannt statt verkrampft.

Leute, bleibt ruhig, es ist nur Fernsehen und keine Operation am offenen Herzen.

»Die beiden ›Zimmer frei‹-Moderatoren«, so hat es eine Journalistin ein paar Jahre später geschrieben, »sind ein optimal irritierendes Pärchen.« Dass es vor allem dieser Gegensatz ist, der der Sendung Reiz und Rahmen gibt, wird heute geschätzt und gemocht, damals zu Beginn war es sehr gewöhnungsbedürftig.

»Provinziell, hausbacken, ›Drehscheibe‹ eben«, schrieb eine Boulevardzeitung, »so ist sie, die Westermann.«

Das ist jetzt siebzehn Jahre her, und wenn ich an diese Zeit denke, bin ich immer noch erstaunt, woher diese Kraft kam, diese Stärke, mich von derart harscher Kritik nicht fertigmachen zu lassen, stattdessen daran zu arbeiten, jene Kritiker irgendwann eines Besseren zu belehren.

Warum? Was hat mich bewegt, nicht aufzugeben, obwohl ich zunächst beständig der Verlierer war?

Ich habe einen harten inneren Kritiker. Schon immer.

Aber auch schon immer eine sehr leise, sehr vertrauenswürdige innere Stimme, die mir sagt, was geht und was nicht. Eine innere Stimme, die überzeugt war, Du kannst das besser. Nicht sofort, aber bald. Ich spürte das auch, und ich wollte es allen zeigen. Allen voran mir selbst. Man muss nur merken, dass diese Stimme da ist, man muss sie hören wollen.

Es ist das Interesse an Menschen, das mich antreibt, seit ich Journalistin geworden bin.

Egal, wer mir wo gegenübersitzt, es interessiert mich zu erfahren, wie er sein Leben lebt, was ihn bewegt, wie er Niederlagen wegsteckt, Siege erkämpft.

Ich will aus den Antworten immer auch etwas für mich lernen, mir was abgucken, was für mein eigenes Leben begreifen, mitnehmen, vielleicht übernehmen.

Das Thema Kritik, verknüpft mit dem Wissen um ein nicht gerade überbordendes Selbstbewusstsein, die Angst vor moglichem Scheitern, es ist eines, was mich bewegt. Persönlich und bei persönlichen Gesprächen im Fernsehen und im Radio.

Wie kommt ein prominenter Schauspieler damit klar, wenn sein aktueller Film glatt durchfiel? Wenn er nach der Premiere Hohn und Spott von den Kritikern erntete?

Es gibt einige, die sagen, sie läsen keine Zeitungskritiken mehr, täten sie es dennoch, fiele es ihnen schwer, beim nächsten Mal vor einer Kamera noch gut genug zu sein. Manche Kritiker seien nur auf die Vernichtung, die Erniedrigung eines Menschen aus. Ob Menschenverachtung eine Triebfeder beim Verfassen einer Kritik ist, weiß ich nicht. Aber ich weiß, um wie viel einfacher es ist, einen neuen »Tatort« und seine Schauspieler schön ironisch einzutüten, statt auch nur mal den Versuch zu unternehmen, ihnen etwas Gutes abzugewinnen.

Oder man macht es wie Til Schweiger: Kränkst Du mich, kränke ich Dich. Der Schauspieler und Regisseur Til Schweiger hat mir imponiert mit seiner Erfindung, die privaten Filmvorführungen, die nur Journalisten vorbehalten sind, abzuschaffen. Wenn ein Filmkritiker einen neuen Schweiger-Film sehen will, bekommt er keine Vorzugsbehandlung mehr mit Häppchen und Kaltgetränk in einem Kinosaal, den er sich nur mit ein paar Kollegen teilt. Er muss sich vielmehr eine Karte kaufen und sich mit ganz normalen Menschen ins Kino setzen. Auf diese Weise kriegt er mit, dass man selbst einen Schweiger-Film zwar doof finden kann, der größere Teil des Publikums aber durchaus einen amüsanten Kinoabend verbringt. Soweit ich weiß, wurden Schweiger-Filme zwar stets mit miesen Kritiken bedacht, die Zuschauer waren aber durchweg anderer Meinung, haben den Filmen Rekordzahlen beschert. Abstimmung mit den Füßen.

33

Jeder Mensch erlernt im Laufe seiner Kinderjahre Muster, die viele Jahre lang sein Leben bestimmen werden, ganz egal, was passiert, etwas Gutes oder Schlechtes, etwas Großes oder Kleines.

Fehlender Selbstwert ist zum Beispiel eines dieser Muster. Sich nie gut genug zu fühlen, verbunden mit der Befürchtung, irgendwann werden es alle merken.

Oder die Angst vor der Ohnmacht, anderen ausgeliefert zu sein, über Dinge, Menschen nicht mehr selbst bestimmen zu können.

Ich habe mich im Muster Selbstwert ordentlich verheddert, mein kritischer innerer Einflüsterer begleitet mich seit vielen Jahren auf Schritt und Tritt. Er lässt sich auch von Lob nicht beeindrucken, hält sich in solchen Fällen zwar mal kurzfristig zurück, meldet sich dann aber schnell wieder mit voller Lautstärke.

Wenn nach der Fernsehdokumentation aus dem Kloster Hunderte von positiven Zuschauerreaktionen kommen, wenn mich Menschen auf der Straße ansprechen und beeindruckt sind, reicht EINE negative Zuschrift, um Lob, Zuspruch, Komplimente schnell schal werden zu lassen.

Für meine journalistische Arbeit habe ich im Laufe der Jahre ein paar Auszeichnungen bekommen. Die erste war ein Preis für die bundesweit beste Regionalsendung. Die »Aktuelle Stunde« des WDR, eine Sendung, die ich viele Jahre mit Frank Plasberg moderiert habe, bekam diesen Preis.

Frank Plasberg war schon damals ein Top-Journalist, die ausgezeichnete Sendung jene, die am 18. August 1988 entstand, dem letzten Tag des Gladbecker Geiseldramas. Drei Tage lang hielten die beiden Bankräuber Hans-Jürgen Rösner und Dieter Degowski Polizei, Medien und Bevölkerung in Atem. Die Männer hatten in Gladbeck nach einem missglückten Banküberfall einen Linienbus in ihre Gewalt gebracht, einen fünfzehnjährigen Jungen erschossen und waren dann mit zwei jungen Frauen als Geiseln in einem Fluchtauto quer durch die Niederlande und Nordrhein-Westfalen gefahren. Am Nachmittag des 18. August 1988 wurden sie auf der A3 von der Polizei nach einer Verfolgungsjagd festgenommen. Eine der beiden Frauen wurde dabei getötet. Der Schuss soll aus der Pistole von Hans-Jürgen Rösner gekommen sein.

Die »Aktuelle Stunde« machte ihrem Namen an diesem Abend alle Ehre. Es gab minütlich neue Informationen, neue Bilder, neue Augenzeugen, die Sendung entstand, während sie lief. Mittendrin Frank Plasberg, voll in seinem Element. Er entschied schnell und intuitiv gut, stellte die richtigen Fragen, blieb in all der Hektik präzise und klar. War einer, dem man sich in dieser Stress-Situation beinahe widerspruchslos unterordnete. Frank war der Macher, die anderen waren die Mitmacher, auch ich.

Als wir den Preis für jene Sendung bekamen, habe ich mich eher verhalten gefreut, denn dieser Preis, befand mein kritischer Einflüsterer kategorisch, hätte Frank allein gebührt, er hatte den größeren und schwierigeren Teil der Sendung gestemmt. Die konnen ja, raunte der Kritiker, schlecht sagen, den Preis kriegt einer allein, wenn die Sendung von zweien moderiert wird. Mit einer fortwährend maulenden inneren Flüstertüte war die Preisverleihung in Bremen für mich nicht wirklich ein Vergnügen.

Ein paar Jahre später, im März 2000, kam der Quirl von Marl, der Grimme-Preis, der mit seiner Form tatsächlich an einen teuer designten Rührbesen aus der Küchenschublade erinnert.

Bei der Verleihung in Marl war der innere Kritiker treu an meiner Seite, mit der gleichbleibenden Mahnung, ich solle mich jetzt mal nicht so dolle freuen, Gespräche, wie ich sie mache, könne schließlich jeder, das sei nun wirklich nicht die Welt, könne ich mir gern jede Woche in anderen Talkshows anschauen, wohingegen Götz Alsmann ein brillanter Entertainer und genialer Musiker sei. Der bekomme den Preis zu Recht.

Ich bekam den Quirl in Marl erst mal allein. Götz Alsmann war bei einer Veranstaltung in Berlin, wurde zugeschaltet, bedankte sich, kurz, knackig, nach dem Motto war ja auch wohl mal langsam an der Zeit, dass wir den Quirl bekommen, danke der Jury, sie habe richtig entschieden, und tschüss.

Ich, so war es ausgemacht, sollte mich bei allen anderen bedanken, die Woche für Woche irgendwie zum Gelingen der Sendung beitragen, geschätzte zweiundsechzig Menschen aus allen möglichen Abteilungen. Maximal eine Minute hatten die Organisatoren dafür vorgesehen.

Bei einer Oscar-Verleihung vor ein paar Jahren hat man mit einem interessanten Trick mal versucht, die endlosen Dankesreden auf eine halbwegs erträgliche zeitliche Länge zu zwingen. Nach dreißig Sekunden bewegte sich das Mikrofon, vor dem die Preisträger standen, langsam nach unten, nach einer Minute war es fast schon im Bühnenboden verschwunden, sodass man den Dank an die Oma in Montana auf dem Bauch liegend absolvieren musste, wollte man noch zu hören sein.

Ich habe mich bei der Verleihung in Marl wirklich beeilt, blieb mit dem Mikro auf Mundhöhe, habe mich bei allen Kollegen herzlich bedankt, stellvertretend zwei mit Namen genannt. Schwerer Anfängerfehler.

Das Dutzend Kollegen, das mitgereist war, fand das nicht wirklich komisch, warum die und nicht wir, entweder keiner oder alle. Unsere weiteren Begegnungen an diesem Abend fanden in der Gefriertruhe statt.

Als ich den Grimme-Preis ein zweites Mal bekam, klappte alles perfekt, es gab nur eine Frau, bei der ich mich bedanken wollte. Eine freundliche Sekretärin des Grimme-Instituts, die mir einen zweiten Quirl, ohne großes Aufheben darum zu machen, per Postpaket nach Hause schickte. Das Original war mir wenige Tage nach der Verleihung aus dem Regal gekippt und nicht mehr zu gebrauchen.

Aller guten Dinge sind drei.

Vor ein paar Jahren bekam ich den Deutschen Radiopreis für das beste Interview, geführt in einer Montagabend-Talksendung bei WDR 2. Da war dann endlich alles perfekt. Der innere Kritiker war mucksmäuschenstill, nur kurz muckte er auf, Du hast auch schon bessere Interviews gemacht, aber geschenkt.

Ich habe mich gefreut. Den Preis musste ich mit niemandem teilen, es war meine Leistung, mein Interview, ich kann es also. Ich bin gut genug.

Dass ich den Preis für ein Interview im Radio bekam, hat den inneren Kritiker für eine Weile tatsächlich verstummen lassen. Das hatte einen Grund, der dreißig Jahre zurücklag.

»Fürs Fernsehen«, sage ich schon mal öffentlich, wenn ich einen großspurigen Tag habe, »kann man mich nachts um drei Uhr wecken. Geht das Rotlicht an, rede ich beschwerdefrei drauflos.«

Beim Rotlicht in einem Radiostudio ist es etwas anderes. Im Radio bin ich zu Beginn einer Sendung unsicher. Ich habe in den ersten Sekunden einen Frosch im Hals, will mich räuspern, die Stimme wackelt, möchte kippen.

Wäre ich hobbytherapeutisch unterwegs, würde ich sagen kein Wunder, die Seele hat sich etwas gemerkt.

Und zwar den Rausschmiss bei einer Radiostation, die in den Siebziger-, Achtzigerjahren die beste der Republik war, hochgelobt wurde ob ihrer journalistischen Qualität. Schwierigste Themen wurden verständlich aufbereitet, in Interviews wurden klare, einfache Fragen gestellt, denen selbst die politischen Labermänner nicht entkommen konnten. Wenn sie es versuchten, machten sie sich lächerlich.

SWF 3 hatte zu dieser Zeit hervorragende Moderatoren, Lichtjahre entfernt von den Hallöchen-sind-wir nicht-total-gut-drauf-Machern, die einen heute aggressiv freundlich und verblüffend altbacken aus dem Radio anplärren.

Ja klar, merke ich selbst, dass hier etwas sehr verstockt und verdrossen in Richtung »früher war alles besser« geht. Aber was, wenn es früher wirklich besseres Radio gab?

Ich war damals auf jeden Fall nicht gut genug für SWF 3, ich war dabei, aber gehörte nicht dazu. Wollte so sein wie die anderen Moderatoren, das ging gehörig daneben.

Hans-Peter Stockinger war der Programmchef von SWF 3, ein hervorragender Journalist, was er sagte, hatte Hand und Fuß, er war ein fairer, allerdings auch ein unerbittlicher Kritiker. Im Studio stand eine Gegensprechanlage. Wenn ich mal wieder ein Interview versemmelt und er es in seinem Büro gehört hatte, konnte es passieren, dass er sich persönlich mit einem »Frau Westermann, was haben Sie sich denn dabei gedacht?« meldete. In den meisten Fällen hatte ich mir nicht viel gedacht, ich war nicht gut, und ich habe es gemerkt. Wie ich besser werden sollte, das wusste ich nicht. Stattdessen war ich leise, in der waghalsigen Hoffnung, dass Fehler sich dadurch dann verspielen würden. Wispermann hieß ich damals.

»Werfen Sie Ihr Herz über die Mauer«, sagte mir Hans-Peter Stockinger einmal.

Aber meine Wurftechnik war schlecht, das Herz wollte nicht über die Mauer, SWF 3 hat mich gefeuert.

Das ist schon über dreißig Jahre her, doch noch heute schleicht sich für Sekundenbruchteile beim ersten Rotlicht die Mikroangst von damals ein: Du bist nicht gut genug.

Das Herz über die Mauer werfen?

Als ich den Radiopreis bekam, hatte ich das schon viele Male geschafft. Ich war keine »Zuckerschnute« mehr, die süßlich vor sich hin plapperte. Zuckerschnute, ein Begriff aus Stockingers Kritiker-Wörterbuch. Ich hatte gelernt, glaubwürdig zu sein. Authentisch. Interesse zu haben statt es zu spielen.

Für meine Dankesrede bei der Preisverleihung hatte ich eine Minute, aber ich habe, ohne mit der Wimper zu zucken, gnadenlos überzogen. Ich habe meine Herz-über-Mauer-Geschichte von SFW 3 erzählt, habe Hans-Peter Stockinger gedankt, der, ohne es zu wissen, jahrelang hinter mir stand, wenn ich vor einem Radiomikrofon saß. Der kleine Wackler zu Beginn einer jeden Radiosendung ist als hörbare Erinnerung geblieben.

34

Zwei Begriffe bestimmen die Zeit des Älterwerdens: Erstens: noch.

Zweitens: nicht mehr.

Einen Bikiniwettbewerb werde ich nicht mehr gewinnen.

Studieren geht noch. Ich war noch nie an einer Universität, habe noch nie eine Vorlesung gehört. Nach dem Abitur kam die Ausbildung zur Journalistin, die Arbeit, das Leben. Beim Gedanken, in einem Seminar ein Referat halten zu müssen, wird der Fernsehfrau, der bei der Arbeit vor der Kamera sicher mehr als ein paar Dutzend Leute zugucken, schon jetzt ganz flau. Nie an einer Universität gewesen zu sein, empfinde ich als Makel, den ich loswerden möchte. Amerikanistik würde ich gern studieren, vielleicht auch noch Geschichte. Ich träume kühn davon, ein Studium mit einem Doktortitel abzuschließen. Im Wachzustand erscheint mir das so undenkbar, wie den Mount Everest zu besteigen.

Die Redaktion einer Fernsehsendung hat mich gefragt, ob ich Lust habe, mal grau zu werden. Grau ist die neue Trendfarbe, Grau is beautiful, junge Frauen lassen sich mit Anfang dreißig die Haare grau färben, sie hoffen, es gäbe ihnen etwas Reifes, Erwachsenes. Meine Haare sind braun, braun getönt. An Ampeln mit langen Rotphasen gucke ich mir manchmal im Innenspiegel an, wie viel Grau sich am Haaransatz zeigt. Geht so.

In schwachen Momenten versuche ich mich im Badezimmer auch an Verjüngungstricks. Ziehe die Gesichtshaut an den Wangen auf beiden Seiten vorsichtig Richtung Ohren, dann sehe ich gleich deutlich jünger aus. Wenn ich die Falten am Hals zum Nacken hin straffe, bringt das optisch mindestens fünfzehn Jahre. Die Verjüngung könnte ich auch professionell machen lassen. Will ich nicht. Ich werde die alte Christine Westermann bleiben. Ida Ehre, eine prominente deutsche Schauspielerin, die 89 Jahre alt wurde, hat kurz vor ihrem Tode gesagt: »Manchmal erschrecke ich, wie jung ich noch bin.«

Da will ich auch hin.

»Sie muss früher einmal eine schöne Frau gewesen sein.« Eine Bemerkung, die man alten Frauen gern anhängt. Warum früher? Ist Schönheit ein Privileg der Jugend? Wer nicht mehr jung ist, kann auch nicht mehr schön sein? Sophia Loren zum Beispiel ist eine wunderschöne Neunundsiebzigjährige.

Ich habe mich für das Fernsehen mithilfe dreier Perücken tatsächlich in eine Frau mit grauen Haaren verwandeln lassen.

Die erste hatte ein paar graue Strähnen, die zweite war durchweg grau, bei der dritten war die Verblüffung am größten. Ich hatte schlohweißes Haar und sah großartig aus.

Die Zuschauer fanden das auch. Es kamen viele Briefe und Mails, ich solle unbedingt beim Weißgrau bleiben.

Braun ist mir dennoch näher. Noch.

Eine Frau schrieb, sie kenne mich aus Kindertagen, wir seien zusammen zur Volksschule gegangen, dritte Klasse, Diesterwegschule Mannheim. Als Beweis hatte sie eine fotokopierte Seite aus ihrem Poesiealbum beigelegt.

»Der Geduldige gewinnt am Ende«
Dies schrieb Dir Deine Mitschülerin
Christine Westermann
29. 5. 1958

Dass ich das als Neunjährige geschrieben haben soll, kann ich nicht glauben. Der Satz kommt in meinem Leben nicht vor, Geduld war für mich schon immer ein Fremdwort. Geduld? Bei mir soll alles gleich passieren, hier, jetzt, sofort. Woher habe ich den Albumspruch? Von meinen Eltern ganz sicher nicht, das hätte ich mir gemerkt. Dass dieser Satz jetzt in meinem Leben auftaucht, ist zumindest bemerkenswert.

Am Ende einer Achtsamkeitsübung steht eine Meditation, gerade da fehlt sie mir sehr, die Geduld. Ich will meine Kniekehlen entspannen, stattdessen eilen meine Gedanken voraus, sind in der Magengegend, die meldet Leere. Ich soll meinen Nieren und meiner Leber danken, dass sie so gute Arbeit leisten, und ein herzlicher Dank wäre an dieser Stelle in der Tat angebracht, aber ich grübele darüber nach, was der Kühlschrank zu Hause noch hergibt. Ich komme nicht dazu, die Falten auf der Stirn loszulassen, weil in meinem Kopf bereits der neonfarbene Schriftzug »Pizza« aufleuchtet. Ich schwanke zwischen vegetarisch als Geschenk für meine Leber oder fetter Salami und Käse. Das Ende der

Meditation kann ich kaum noch abwarten. Ich werde nicht die Geduld aufbringen, an einer Pizzabude meine Bestellung aufzugeben und noch mal fünfzehn Minuten zu warten, das steht schon fest. Während das Meeresrauschen vom Band mich in die totale Entspannung bringen soll, scanne ich gedanklich bereits, ob ich auf dem Heimweg an einer Tankstelle mit Tiefkühlpizza im Angebot vorbeikomme.

Ich schäme mich ob dieser Gier, zwinge mich, lockerzulassen, will zeigen, wie gut mir Tiefenentspannung tut. Keine Chance, ich bin die Erste, die aus der Meditationstür stürmt.

Aber ich bleibe guter Dinge, ich werde schon noch lernen, Geduld mit mir zu haben.

Auszeit, Meditation, Achtsamkeit, ich bin auf einer Modewelle unterwegs. Macht nichts, ich weiß, ich werde meine eigene Welle finden und reiten.

Noch immer treibt mich in unbedachten Augenblicken Unruhe an und um. Da soll noch was gehen, da muss noch was kommen. Wie viel Zeit bleibt mir noch? Wie lange werde ich noch all das umsetzen können, was ich jetzt durch Achtsamkeit neu begreife?

Beinahe augenblicklich höre ich bei solchen Überlegungen eine sachte innere Stimme:

Hier und jetzt ist alles in Ordnung, oder?

Danksagung

Danke, liebe Frau Wielpütz,
dass wir auch diesen Weg gemeinsam gegangen sind. Dass Sie mich bestärkt und mir Mut gemacht haben. Von den ersten Ideen bis zu den letzten Seiten. Auch wenn Ihnen das Ende nicht wirklich gefallen hat (beim nächsten Buch wird alles anders …)

Danke, liebe Kerstin,
für die Tonnen an Langmut, die Du bereithältst.

Für den sanften Druck, den Du zu machen verstehst.

Für Deine Genauigkeit, Dein gutes Gespür, die Freude an Deiner/meiner Arbeit.

Es ist Vergnügen und Gewinn zugleich, Dich als Lektorin an meiner Seite zu wissen.

Lieber Jochen,
in dieser Danksagung stehst Du an letzter Stelle. Im richtigen Leben aber immer an erster.

Auch wenn Du in den vielen Monaten, in denen das Buch entstanden ist, manchmal einen anderen Eindruck haben konntest.

Danke für Deine unerschöpfliche Geduld.

Du warst auch diesmal wieder mein treuester Fan und fairster Kritiker.